我爱学中文

中学用书

I Love Learning Chinese

——Specially designed for middle/high school

第三册

Volume III

章悦华　黄一玮　李翠　主编

By Dr. Susan Zhang

Hilda Huang

Linda Li

图书在版编目(CIP)数据

我爱学中文·中学用书(第三册)/章悦华,黄一玮,李翚主编. —北京:北京大学出版社,2009.1

(北大版少儿汉语教材)

ISBN 978-7-301-14391-9

Ⅰ. 我… Ⅱ. ①章… ②黄… ③李… Ⅲ. 汉语-对外汉语教学-教材 Ⅳ. H195·4

中国版本图书馆 CIP 数据核字(2008)第 167212 号

书　　　名:我爱学中文·中学用书(第三册)

著作责任者:章悦华　黄一玮　李　翚　主编

插 图 设 计:严怿旻　Bonnie Yan

倪　恬　Donna Ni

责 任 编 辑:邓晓霞　dxxvip@vip.sina.com

标 准 书 号:ISBN 978-7-301-14391-9/H·2092

出 版 发 行:北京大学出版社

地　　　址:北京市海淀区成府路 205 号　100871

网　　　址:http://www.pup.cn

电　　　话:邮购部 62752015　发行部 62750672　编辑部 62752028　出版部 62754962

电 子 信 箱:zpup@pup.pku.edu.cn

印　刷　者:世界知识印刷厂

经　销　者:新华书店

889 毫米×1194 毫米　16 开本　12 印张　192 千字

2009 年 1 月第 1 版　2009 年 1 月第 1 次印刷

印　　　数:0001~3000 册

定　　　价:78.00 元(含一张 CD)

This is a ground-breaking textbook for teaching Chinese language to American students. Not only is the language carefully introduced and recycled, but also the book is designed to support the TPR Storytelling method of language instruction.

The authors, Zhang and Li, have researched and experimented with language acquisition. They discovered that no other method of language instruction produces students with language facility as efficiently as TPR Storytelling does. By combining the principle of comprehensible input with charming stories that are readily understood and enjoyed by early-language learners, they have produced an excellent textbook for English-speaking learners of Chinese.

Susan Gross

TPR Storytelling has been shown to be a powerful way of teaching fluency in a second language. It is based on recent language acquisition theory. TPRS is now used around the world by thousands of teachers.

I am happy to see Susan and Linda have written a new book to help others learn Chinese. I wish you well in this and hope students have much success.

Blaine Ray

I have had the pleasure of learning Mandarin with Zhang and Li's *I Love Learning Chinese* materials. These stories are fun and appropriate for most age levels of beginning Mandarin students. As a TPRS teacher and trainer, I'm excited to welcome this series to the growing body of TPRS materials. The curriculum is easy to follow and recycles high frequency vocabulary throughout the lessons. Thanks, Susan and Linda for your hard work on this wonderful resource. With these materials, Mandarin teachers around the world will be able to successfully implement the TPRS method in their classes.

Beth Skelton

Introduction

Total Physical Response Storytelling is a method that was developed by Mr. Blaine Ray in 1990 based on the theory and practice of James Asher, who had earlier developed Total Physical Response as a method of foreign language instruction.

TPR Storytelling is a method for teaching foreign languages that has proven to be profoundly successful with students of all ages and all abilities. The pedagogical underpinnings of the method are mastery learning applied to the principles of foreign/second language acquisition. The fundamentals of the language are developed while teaching vocabulary and structures in student-centered and personalized stories.

TPRS is changing the way teachers and students view their language classes. Through TPRS, teachers find that they can teach a wide range of students in a relaxed learning environment to comprehend, speak, read, and write in a foreign/second language within a shorter period of time than through more traditional methods. Grammatical accuracy is developed through meaningful, natural language learning activities.

Some of the major characteristics of TPRS:

- ◆ Target language is spoken 95% of the class time even in beginning level classes;
- ◆ Comprehensible input of the target language is provided for the students repeatedly and in a variety of ways;

- ◆It introduces the vocabulary through a variety of categories, providing students with the tools they need to communicate in a very early stage;
- ◆Complicated sentence structures are introduced very early on;
- ◆It accommodates a variety of learning styles;
- ◆It lends itself well to differentiated instruction practices;
- ◆Students' mastery of communication skills is palpable very early in the learning process.

This series of textbooks consists of four books, which are specially designed for Chinese language classes where Total Physical Response Storytelling method is used. The books can be used for either middle school or high school learners. The focus should be on the learner's mastery of basic communication skills. The four language skills-listening, speaking, reading, and writing are all reinforced through the story telling activities. The written form of the Chinese language is also introduced at an early stage but according to the natural development of the learning process, from simple to complex.

Most frequently-used words and phrases have been identified as target phrases to use as the focus of learning. They are presented in the format of mini-stories and can be used in students' personalized stories to reinforce the language skills in a variety of ways. The context of the story makes the mastery of the language much easier. This specially-designed language environment provides students with exciting and non-threatening learning opportunities.

Each book in the series will take approximately 80-100 hours of instructional time. Of course, how much time should be the best for a particular group of students should depend on how the book is used and on the ability of the particular students. To accompany this series, there will be a series of teachers' reference books, which will include guidelines for using the books effectively and suggestions of learning activities.

前 言

行为情境教学法(Total Physical Response Storytelling),简称 TPRS,是 Blaine Ray 先生于 1990 年在 James Asher 博士的理论和实践的基础上开创的一种教学方法。此前,许多外语教师已将 James Asher 博士的 TPR 运用于外语教学中。

TPRS 遵循外语学习的基本规律,在教学中引进了个性化的故事,及以此为背景展开的各种生动有趣的情境;学生在自由而愉快的学习环境中,不仅学习和掌握了外文词汇,还能真正发展他们的实际语言交际能力。

在我们第二语言(中文)的教学实践中,老师们发现运用 TPRS 能在很短的时间内,帮助学生积累和发展大量实用的会话语言,并在此基础上提高学生对中文的理解和阅读技能。相对传统的死记硬背和题海战术,TPRS 方法更卓有成效;同时更主要的是,在以故事为基础而营造起的轻松的教学情境中,学生学习中文的兴趣也得到了很大的提高和增强。

TPRS 教学方法具有以下一些主要特征:

1. 即便在起始班,运用中文进行教学(对话)的时间就可以达到 95%以上;
2. 通过不断重复演练及各种途径的教学,帮助学生理解关键词汇和句型;
3. 以多样的教学方法引入词汇和短语,帮助学生尽快掌握一些最基本的交流技巧；

4. 较早地将复杂的句型结构引入课堂；
5. 尽可能调动起学生的各种感官，来参与学习；
6. 面向全体学生，因材施教；
7. 学生在初期的语言学习过程中，通过短期训练，即可掌握基本的交流技巧。

在日常教学中，TPRS 要求把日常生活中使用频率很高的关键词汇以很高的频率重复出现在句型和故事中，并通过在学生自编故事中的运用，不断巩固和强化，以达到熟练掌握的程度。这种自编故事、创设情境的独特教学方法，使学生真正参与到了语言学习过程中，成为语言学习的主人。

此套教材共分 4 册，每册约 80~100 课时，专门针对初、高中运用 TPRS 进行中文为第二语言或外语教学而设计。教材全面覆盖了听、说、读、写四项最基本的语言技能，同时从学习的起始阶段就循序渐进地引入了汉字的辨认与书写。

即将出版的配套教师用书，对本教材的使用和活动提供了一些教学建议。

Authors' acknowledgments

We are grateful to many teachers at Shanghai American School and other friends who have helped us in the process of making the book ready for publication:

We want to thank all the SAS Chinese teachers on both Puxi and Pudong campuses for their encouragement and support. Especially, we want to thank those who are directly involved in the preparation for publication of the book:

- Ms. Sindy Shen, SAS Chinese teacher, who helped with editing, proofreading and making exercises;
- Mr. Marshall Shen, SAS Puxi middle school Chinese teacher, who helped with the writing of the Chinese version of introduction and authors' acknowledgement;
- Ms. Jo Yang, SAS Pudong middle school Chinese teacher assistant, who helped with editing, proofreading and scanning graphics;
- Bonnie Yan and Donna Ni, the ninth grade students at SAS Pudong High School, who helped to illustrate;

- Dr. David Surowski, SAS Puxi high school math teacher, who helped with editing English-version.

Without all the support we have received from our colleagues, friends and students, it would have been impossible to bring this book to its present stage.

致 谢

我们要感谢上海美国学校的老师们及朋友们对此书顺利出版所做的努力，尤其是以下这些直接参与此书编辑的老师和学生：

• 感谢上海美国学校中文部中文老师沈娴婷编辑、校对此书的中文部分和参加编写练习；

• 感谢上海美国学校浦西中学部中文老师沈俊先生帮助撰写中文前言；

• 感谢上海美国学校浦东中学部中文老师助理杨丽赟编辑、校对此书的中文部分和为本教材的插图扫描；

• 感谢上海美国学校浦东高中部九年级学生严怿旻和倪恬为本教材设计并制作插图；

• 感谢上海美国学校浦西高中部数学老师 David Surowski 博士校对此书的英文部分，是他抽出自己宝贵的时间，无私奉献，才有了这套教材的顺利出版。

特此鸣谢！

CONTENTS

第一单元
Chapter I

又要开学了
Back to School

Mini-story 1.1

yí gè qí guài de nán shēng
一个奇怪的男生
A Strange Boy

Target Phrases

bān dào le 搬到了……	have moved to
xīn tóng xué 新同学	new classmate
lái zì shì jiè gè dì 来自世界各地	come from all over the world
yǒu de yǒu de 有的……有的…… hái yǒu de (还)有的……	some ..., some..., others
duì dà jiā dōu hěn yǒu hǎo 对(大家都很)友好	be nice to (everybody)
hé dà jiā xiāng chǔ de bú cuò 和(大家)相处得不错	get along with (everybody)
jiù shì 就(是)	expressing an affirmative (indicating stress)
kàn zhe 看着	be looking at

bù lǐ bù cǎi
不理不睬 ignore

qí guài
奇怪 strange

nǎo huǒ
恼火 irritated

Personalized Mini-situation

qù nián xià tiān yì jiā cóng jiā ná dà bān dào le
去年夏天，Mark一家从加拿大搬到了

zhōng guó yīn wèi gōng sī pài de bà ba lái zhōng guó
中国。因为公司派Mark的爸爸来中国

gōng zuò hé tā de mā ma yě lái dào le zhōng guó
工作，Mark和他的妈妈也来到了中国。

xiàn zài zài yì suǒ guó jì xué xiào shàng shí nián jí
现在，Mark 在一所国际学校上十年级。

dì yī tiān shàng xué jiàn dào le xǔ duō xīn tóng xué
第一天上学，Mark 见到了许多新同学，

tā men dōu lái zì shì jiè gè dì yǒu de lái zì měi guó yǒu
他们都来自世界各地：有的来自美国，有

de lái zì ào dà lì yà yǒu de lái zì mǎ lái xī yà
的来自澳大利亚，有的来自马来西亚。Mark

duì dà jiā dōu hěn yǒu hǎo suǒ yǐ tā hé dà jiā xiāng chǔ de
对大家都很友好，所以他和大家相处得

bú cuò kě shì bān shang yǒu yí ge nán tóng xué zhè ge nán
不错。可是，班上有一个男同学，这个男

tóng xué zhǎng de bù gāo bù ǎi bú pàng bú shòu kàn
同学长得不高不矮，不胖不瘦，看

shang qu hěn kù jiù shì bú ài shuōhuà yǒu hǎo de
上去很酷，就是不爱说话。Mark 友好地

duì tā shuō tā zhǐ shì kàn
对他说："Hello. Where are you from?"他只是看

zhe shén me yě méi shuō xiǎng hé tā jiāo péng
着 Mark，什么也没说。Mark 想和他交朋

you tā yě bù lǐ bù cǎi jué de hěn qí guài yě hěn
友，他也不理不睬。Mark 觉得很奇怪，也很

nǎo huǒ
恼火。

Exercise 1 Answer the following questions according to the story. (If the answer is not in the story, make one up.)

1. Mark的一家为什么搬到了中国？

____

2. Mark在什么学校上学？他上几年级？

____

3. 第一天上学，Mark 见到了谁？

____

4. Mark的同学们都来自什么地方？

____

5. 大家对Mark怎么样？

____

6. Mark班上的那个男同学长得怎么样？

____

7. 那个男同学为什么对Mark不理不睬？

____

有的 得

Exercise 2　Translate the following sentences into Chinese, paying special attention to the underlined structures.

1. I like my math teacher because he is always very friendly to us.

____

2. Although he has only been in this international school for a week, he gets along with his classmates very well.

____

3. There are all kinds of foods in the store, some are from America, some are from Spain, and others are from China.

____

4. Every year, people from all over the world come to this beach to swim.

____

5. When I saw her, she was listening to the music in her room.

____

Recognize the following words.

夏天　搬到　公司　年级　许多　同学

来自　世界　友好　相处　矮　就是

Read and write the following characters.

丿 𠂉 𠂒 𠂒 乍 年

年

丶 丷 宀 宀 宀 穵 穵 家 家 家

家

㇇ 力 力 加 加

加

公

到

校

许

美

友
所
处
这
朋
火

Mini-story 1.2

jiàn dào xīn lǎo shī
见到新老师
Meeting a New Teacher

Target Phrases

yǒu xiē jǐn zhāng 有些紧张	sort of nervous
cóng lái méi yǒu xué guo 从来没有(学)过	have/has never (learned)
ér qiě 而且	moreover
duì zhōng guó yì diǎnr dōu bù liǎo jiě 对(中国)一点儿都不了解	don't know (China) at all
dī zhe tóu 低着头	lowering (her) head
zhè cì 这次	this time

Personalized Mini-situation

jīn nián shàng jiǔ nián jí tā hé jiā rén gāng
Anna 今年上九年级。她和家人刚

gāng bān dào zhōng guó de bà ba mā ma yào
刚搬到中国。Anna的爸爸妈妈要Anna

xué zhōng wén yǒu xiē jǐn zhāng yīn wèi tā cóng lái
学中文。Anna有些紧张，因为她从来

méi yǒu xué guo zhōng wén ér qiě tā duì zhōng guó yì diǎnr
没有学过中文，而且她对中国一点儿

dōu bù liǎo jiě dì yī tiān shàng zhōng wén kè màn
都不了解。第一天上中文课，Anna慢

màn de zǒu jìn zhōng wén jiào shì tā kàn kan zhàn zài bái bǎn
慢地走进中文教室。她看看站在白板

qián de zhōng wén lǎo shī yǒu xiē hài pà zhōng wén lǎo shī
前的中文老师，有些害怕。中文老师

shì ge nán lǎo shī kàn shang qu hěn yǒu hǎo dī zhe
是个男老师，看上去很友好。Anna低着

tóu zǒu dào lǎo shī nà li lǎo shī kàn zhe màn màn de
头，走到老师那里。老师看着Anna，慢慢地

shuō nǐ hǎo nǐ jiào shén me míng zi nǐ shì měi guó rén
说："你好，你叫什么名字？你是美国人

ma shén me dōu tīng bu dǒng lǎo shī yòu màn màn
吗？"Anna什么都听不懂。老师又慢慢

de shuō le yí biàn zhè cì tā shuō de hěn màn hěn màn
地说了一遍。这次他说得很慢很慢，

ér qiě shēng yīn hěn xiǎng hěn xiǎng kě shì hái shi tīng
而且声音很响很响。可是Anna还是听

bu dǒng yòu jǐn zhāng yòu hài pà
不懂。Anna又紧张又害怕。

Exercise 1 Answer the following questions according to the story.

1. Anna和家人刚刚搬到哪里？

他们到住中国.

2. Anna的爸爸妈妈要她学什么？

爸爸妈妈要Anna学中文.

3. Anna为什么有些紧张？

因为她从来没有学过中文.

4. Anna看到中文老师的时候，觉得怎么样？

Anna有些害怕，所以他低着头.

5. 中文老师是男老师还是女老师？老师看上去怎么样？

中文老师是男老师，他看上去很友好.

6. 中文老师是怎样对Anna说话的？

他说中文，他说很慢.

7. Anna为什么又紧张又害怕？

因为中文老师说中文. Anna听不懂.
没有

Exercise 2 Translate the following sentences into Chinese.

1. Although I have been living in China for five years, I don't know China very well.

____

2. He was sort of angry because the new classmate didn't want to make friends with him.

____

3. She does not like to watch movies at all.

____

4. The teacher is good at teaching; moreover, he is always nice to the students.

____

5. This is his first time to invite a girl for dinner. He has never dated anyone before.

____

Recognize the following words.

今年 刚刚 紧张 而且 了解 教室 害怕 低着头 这次

Read and write the following characters.

丿 人 亼 今

今

一 十 土 耂 耂 老

老

丨 刂 ㄏ 𠂉 𠂤 师

师

前

低

字

吗

听

又

次

Mini-story 1.3

suǒ yǒu de diàn nǎo dōu huài le ma

所有的电脑都坏了吗?

Are All the Computers Broken Down?

Target Phrases

suǒ yǒu de 所有的	all
bú dàn … ér qiě … 不但……而且……	not only... but also...
shàn cháng 擅长	be good at
dì yī jié kè 第一节课	the first class
cái 才	indicating that the action happens very late or slowly
fā xiàn 发现	find out; discover
yì tái diàn nǎo 一台电脑	a/one computer
yuán lái 原来	originally; indicating the reason

huài le 坏 了	go wrong, be broken
lìng 另	another
ràng 让	let, ask
shì 试	try
mǎn tóu dà hàn 满 头 大 汗	sweat all over
xiū 修	repair

Personalized Mini-situation

hěn xǐ huan wánr diàn nǎo tā bú dàn xǐ
Jeremy 很喜欢玩儿电脑。他不但喜

huan wánr diàn nǎo ér qiě shàn cháng zài diàn nǎo shang
欢玩儿电脑，而且擅长在电脑上

huà huàr jīn tiān zǎo shang dì yī jié kè shì diàn nǎo kè
画画儿。今天早上第一节课是电脑课。

shàng kè qián shí fēn zhōng jiù zài diàn nǎo jiào shì wài
上课前十分钟 Jeremy 就在电脑教室外

mian děng lǎo shī lái kāi mén tā děng a děng a děng le
面等老师来开门。他等啊，等啊，等了

kuài yí ge xiǎo shí lǎo shī cái lái fā xiàn tā zǎo
快一个小时，老师才来。Jeremy 发现他早

lái le yí ge xiǎo shí tā zǒu dào yì tái diàn nǎo qián miàn
来了一个小时。他走到一台电脑前面，

xiǎng yào dǎ kāi diàn nǎo kě shì jiù shì dǎ bu kāi lǎo shī
想要打开电脑，可是就是打不开。老师

zǒu guo lai yí kàn yuán lái diàn nǎo huài le lǎo shī ràng
走过来，一看，原来电脑坏了。老师让

yòng bié de diàn nǎo zǒu dào lìng yì tái diàn
Jeremy 用别的电脑。Jeremy 走到另一台电

nǎo qián miàn xiǎng yào dǎ kāi diàn nǎo kě shì yě dǎ bu
脑前面，想要打开电脑，可是也打不

kāi　shì zhe dǎ kāi měi yì tái diàn nǎo kě shì dōu
开。Jeremy 试着打开每一台电脑，可是都

dǎ bu kāi　máng de mǎn tóu dà hàn tā zhǎo rén lái
打不开。Jeremy 忙得满头大汗。他找人来

xiū diàn nǎo yuán lái bú shì diàn nǎo huài le shì diàn nǎo
修电脑。原来不是电脑坏了，是电脑

jiào shì li méi yǒu diàn le
教室里没有电了。

Exercise 1　Answer the following questions according to the story.

1. Jeremy擅长做什么？

____

2. 今天早上第一节课是什么课？

____

3. Jeremy等老师等了多长时间？

____

4. Jeremy为什么等了很长时间老师才来？

____

5. Jeremy为什么打不开所有电脑？

____

Exercise 2 Rearrange the phrases to make complete and meaningful sentences, adding punctuation when necessary.

1. 他 / 对中国文化 / 而且 / 很好 / 也 / 很了解 / 中文 / 不但 / 说得

____

2. 跳舞 / 学了 / 很 / 她 / 5年 / 她 / 学 / 跳舞 / 擅长 / 所以

____

3. 很长时间 / 可是 / 找了 / 他的 / 找 / 帽子 / 找不到 / 他

____

4. 原来 / 不在家 / 一个月 / 他 / 出国 / 朋友 / 我的 / 都 / 旅游 / 了

____

5. 学 / 爸爸 / 让 / 的 / Tom / 暑假 / 他 / 去 / 开车

____

Recognize the following words.

所有　不但　擅长　早上　第一节课　分钟

发现　一台电脑　原来　试　修

Read and write the following characters.

一 十 扌 圹 坏 坏 坏

坏

一 二 千 王 王 玗 玩 玩

玩

一 厂 冂 冇 再 画 画 画

画

节

课

才

发

台

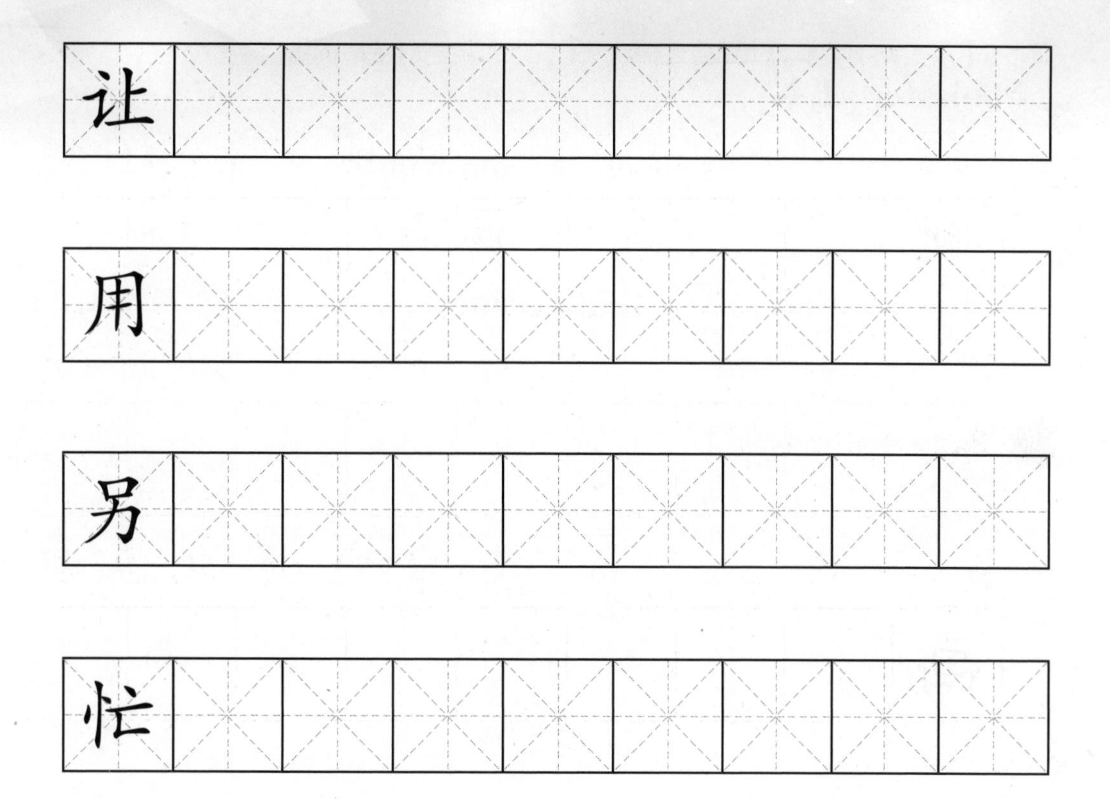
让
用
另
忙

Mini-story 1.4

chéng jì hěn chà
成绩很差
Bad Grades

Target Phrases

tè bié 特别	especially; special
xiǎo shuō 小说	novel
chéng jì 成绩	grade
nán 难	difficult; hard
cāo chǎng 操场	playground
yuè lái yuè 越来越……	more and more
rú guǒ jiù 如果……就……	If..., then ...
zài bù 再不……	not ... any more
kǎo shì bù jí gé 考试不及格	fail the test

má fan
麻烦　　　　trouble

qí shí
其实　　　　actually; in fact

Personalized Mini-situation

shì ge gāo zhōng nián jí de xué sheng tā
Annie 是个高中 11 年级的学生，她

tè bié ài kàn yīng wén xiǎo shuō de yīng wén lǎo shī
特别爱看英文小说。Annie 的英文老师

hěn xǐ huan yīn wèi de yīng wén chéng jì hěn
很喜欢 Annie，因为 Annie 的英文成绩很

hǎo kě shì bù xǐ huan shù xué suǒ yǐ tā bù xǐ
好。可是，Annie 不喜欢数学，所以她不喜

huan kàn shù xué shū yě bú ài zuò shù xué zuò yè
欢看数学书，也不爱做数学作业。Annie

yě bù xǐ huan xué zhōng wén yīn wèi zhōng wén tài nán xué
也不喜欢学中文，因为中文太难学

le shàng tǐ yù kè de shí hou zuò zài cāo chǎng
了。上体育课的时候，Annie 坐在操场

shang kàn yīng wén shū shàng zhōng wén kè de shí hou
上看英文书；上中文课的时候，Annie

bǎ yīng wén shū fàng zài zhōng wén shū xià miàn kàn shàng
把英文书放在中文书下面看；上

shù xué kè de shí hou hái shi zài kàn yīng wén shū
数学课的时候，Annie 还是在看英文书。

de shù xué hé zhōng wén chéng jì yuè lái yuè chà
Annie 的数学和中文成绩越来越差。

lǎo shī men hěn zháo jí tā men gào sù rú guǒ tā
老师们很着急，他们告诉 Annie，如果她

zài bù hǎo hāor xué shù xué hé zhōng wén tā men jiù yào
再不好好儿学数学和中文，他们就要

gěi tā de bà ba mā ma dǎ diàn huà yǒu yí cì de
给她的爸爸妈妈打电话。有一次，Annie 的

zhōng wén kè kǎo shì bù jí gé zhōng wén lǎo shī hěn shēng
中文课考试不及格。中文老师很生

qì zhǐ hǎo dǎ diàn huà gěi de bà ba mā ma
气，只好打电话给Annie的爸爸妈妈。Annie

zhī dào zì jǐ yǒu má fan qí shí yǒu hěn duō má
知道自己有麻烦。其实，Annie有很多麻

fan tā gāi zěn me bàn ne
烦。她该怎么办呢？

Exercise 1 Answer the following questions according to the story.

cheng ji

1. Annie什么课成绩很好？

Annie ying wen ke cheng ji hen hao

2. Annie不喜欢上什么课？

Annie bu xi huan shu xue ke gen zhong wen ke

3. Annie喜欢看什么书？为什么？（Give 2 reasons）

ta xi huan kan ying wen shu. ~~她 kan yin wei ta kan~~
yin wei ta shen me ke de shi hou kan ying wen shu. zai

cao chang ta kan ying wen shu

4. Annie有什么麻烦？

Annie de zhong wen lao shi da dian hua
gei annie de ba ba ma ma. ta ~~ka~~ zhong wen kao shi
bu ji ge. Annie de shu xue he zhong wen
cheng ji yue lai yue cha.

Exercise 2　Choose the correct structures from the box to fill in the blanks.

不但……而且……	虽然……但是……
如果……就……	因为……所以……

1. 我们的老师______教得好，______对我们很好。
2. ______体育课很有意思，______John很喜欢上体育课。
3. ______你看到他，______告诉他我已经等了快半个小时了。
4. ______服务员说得很慢很慢，______他还是听不懂。

Exercise 3　Add an ending to the story.

如果你是Annie，你会怎么办？

____

____

____

____

____

____

____

Recognize the following words.

特别　小说　成绩　越来越……　如果

再不　考试　及格　自己　麻烦　其实

Read and write the following characters.

一 十 艹 艹 芇 苎 英 英

英

一 厂 万 成 成 成

成

- + ± 圬 场 场

场

着

诉

爸

及
知
道
己
怎
办
呢

Chapter-story

de má fan
Jerry 的麻烦
Jerry's Trouble

Vocabulary

gāng gāng shàng wán
1. 刚 刚 上 完 — just finished ... (grade)

guò le zhè ge shǔ jià
2. 过了这个暑假 — after this summer

zhěng gè
3. 整 个 — the whole ...

zhěng gè shǔ jià
4. 整 个 暑 假 — during the summer

yǐ jīng
5. 已 经 — already

chéng shì
6. 城 市 — city

huò zhě
7. 或 者 — or

bǐ jiào shú xī
8. 比 较 熟 悉 — more familiar with

xuǎn
9. 选 — choose; select

fēi cháng
10. 非　常　　very

gèng
11. 更　　more

biāo zhǔn de yīng wén
12. 标　准　的　英　文　　standard English

xià kè yǐ hòu
13. 下 课 以 后　　after class

cān tīng
14. 餐　厅　　cafeteria

fàn kǎ
15. 饭　卡　　cafeteria card

mō mo
16. 摸　摸　　feel; touch

bù hǎo yì si
17. 不　好　意　思　　embarrassed

jiè qián
18. 借　钱　　borrow money

jué de zì jǐ hěn bèn
19. 觉　得　自　己　很　笨　　feel (himself) stupid

bù xíng
20. 不　行　　doesn't work

mǎn liǎn tōng hóng
21. 满　脸　通　红　　face becomes flush

shàn cháng
22. 擅　长　　be good at

23.	měi shù bǐ sài 美 术 比 赛	art contest
24.	dé le yī děng jiǎng 得 了 一 等 奖	won the first prize
25.	yòng gāo jià mǎi 用 高 价 买	purchase at a high price
26.	wèi gǎn dào hěn jiāo ào 为……感 到 很 骄 傲	feel proud of ...
27.	dǎ suàn 打 算	plan
28.	gāo zhōng bì yè 高 中 毕 业	graduate from high school
29.	huā hěn duō shí jiān 花 很 多 时 间	spend a lot of time
	huà huàr （画 画儿）	（drawing pictures）
30.	yuè lái yuè 越 来 越	more and more ...
31.	yǒu shí hou 有 时 候	sometimes

U.S.A.
China
1
2
Do you... speak... English?
3
饭卡
RMB
RMB
4
电脑教室 A
5
6

Jerry 的麻烦

Jerry 是美国人,他和他的家人住在美国。他今年刚刚上完八年级。过了这个暑假,Jerry 的爸爸要去中国工作,Jerry和他的妈妈也要一起去中国。整个暑假,Jerry一直在想:中国和美国是不是很不一样?我会不会喜欢中国的学校?会不会交许多中国的新朋友?

时间过得很快,暑假结束了,已经是八月份了。Jerry和他的爸爸妈妈搬到了中国的一个大城市。Jerry在一所国际学校上学,他上九年级。

第一天上学,Jerry见到了许多新同学,他们中许多人也是这个学校的新学生。这些新同学来自世界各地,Jerry和他们相处得不错。新学校的老师们大都是从美国或者加拿大来的,所以Jerry觉得比较熟悉。

第二天Jerry有外语课。因为Jerry一家现在住在中国,所以他的爸爸妈妈要他选中文课。Jerry有些紧张,因为他从来没有学过中文,而且他对中国一点儿都不了解。他听说中文很难学。上课前五分钟,Jerry找到了中文教室。他走进教室,看到一个女老师站在白板前。

她不胖也不瘦，不高也不矮，黑黑的头发，大大的眼睛，看上去非常友好。Jerry慢慢地走到老师那里。老师看看Jerry，对他说："你好！你叫什么名字？"Jerry听不懂，老师又慢慢地说："你——好——。你——叫——什——么——名——字？"Jerry还是听不懂，他很着急，头上都是汗。然后，Jerry对老师慢慢地说："Do. you. speak. English?"老师笑了笑，什么也没说。Jerry 又慢慢地说了一遍，这次他说得更慢了："Do... you... speak... English?"女老师笑着用标准的英文说："Yes, I'm from California. Just got here a week ago!"

下课以后，Jerry去学校的餐厅吃午饭，可是他找不到他的饭卡了。Jerry摸摸他的上衣口袋，没有。他在书包里找，找不到；他在裤子口袋里找，也找不到。Jerry看看他的钱包，钱包里没有一分钱。可是Jerry不好意思去向别的同学借钱，他只好去喝了几口水，走来走去。Jerry 觉得自己很笨。

下午，Jerry去电脑教室上课。那时，电脑教室里没有人，Jerry想要打开电脑看看e-mail，可是他试了很多次，就是不行。他很恼火。这时，老师和同学都来了。

Jerry不好意思去问老师，就坐在电脑前假装做功课。快下课了，老师问Jerry："你做好了吗？"Jerry什么都没有做。老师走到Jerry那里，才知道原来他的电脑坏了，不能用。老师对Jerry说："Jerry，你为什么不叫我帮你修电脑呢？"Jerry满脸通红，觉得自己很笨。

Jerry非常喜欢画画儿，也很擅长画画儿。有一次，他在全校的美术比赛中得了一等奖。听说有一家大公司还要用高价买他的画呢！Jerry的爸爸妈妈都为Jerry感到很骄傲，Jerry也很开心。他打算高中毕业以后去上美术学院。Jerry每天花很多时间画画儿，他越来越喜欢画画了。有时候他在数学课上画画儿；有时候他在英文课上画画；有时候他在中文课上画画儿。Jerry 的美术成绩很好，可是他的数学、英文和中文的成绩越来越差。Jerry的数学老师、英文老师和中文老师都给他的爸爸妈妈打电话。Jerry的爸爸妈妈很生气，他们告诉Jerry不要在别的课上画画儿。要不然他们就不让Jerry高中毕业以后上美术学院了。现在Jerry有麻烦了。其实，Jerry有很多麻烦。

Recognize the following words.

暑假　已经　或者　比较　选　黑　眼睛　非常　更

餐厅　摸摸　口袋　不好意思　借钱　不行　功课

不能　比赛　感到　打算　学院　要不然

Read and write the following characters.

丶 丷 宀 宀 宀 宇 完

完

一 十 十 市 市 有 直 直

直

㇕ ㇕ 已

已

份

非

汗

笑
厅
饭
卡
价
业

Exercise 1　True or False. If the statement is false, write a true statement.

______1. Jerry 刚刚开始上八年级。

______2. Jerry很擅长游泳。

______3. 在Jerry的新学校里，他的同学们来自世界各地。

______4. Jerry觉得新的学校很熟悉，因为他的老师们大都来自美国或者中国。

______5. 因为Jerry的爸爸妈妈很喜欢中国，所以他们要Jerry选中文课。

______6. 虽然Jerry的中文老师说中文说得很慢很慢，但是Jerry还是听不懂。

______7. Jerry的中文老师说英文说得很标准。

______8. 吃午饭的时候，Jerry用饭卡买了很多吃的东西。

______9. 上电脑课的时候，Jerry的电脑坏了，所以他什么都没做。

______10. Jerry很喜欢画画儿。上别的课的时候，他也在画画儿。

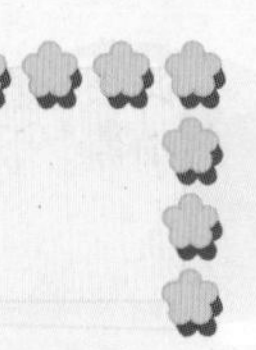

Exercise 2 Please fill in the blanks with appropriate phrases to make the sentences complete and meaningful.

1. Jerry住在美国，他__________八年级。
2. __________，Jerry 的爸爸要去中国工作。
3. 现在__________是八月份了，Jerry和他的爸爸妈妈搬到了__________。
4. 老师们大都是从美国__________加拿大来的，所以Jerry觉得__________。
5. Jerry从来没有学过__________，他对中国__________。他的中文老师看上去__________。
6. __________，Jerry去学校的__________吃午饭，可是他__________他的饭卡了。
7. Jerry__________去向别的同学__________。他只好去喝了几口水，__________________。
8. Jerry非常喜欢画画儿，他每天____________画画儿，他__________喜欢画画儿了。
9. Jerry很擅长画画，他在一次全校的美术比赛中______________，听说有一家大公司还要__________他的画呢！他的爸爸妈妈______________。

10. Jerry在__________课、__________课和__________课上都画画儿，这些课的成绩__________。他的爸爸妈妈很生气，他们告诉Jerry不要在别的课上画画儿。__________，他们就不让Jerry去上美术学院了。

Exercise 3　Answer the following questions according to the story. (Make up your own answer if necessary.)

1. Jerry 为什么要去中国？

____

2. Jerry 的一家什么时候搬到了中国？

____

3. Jerry 为什么觉得对新学校很熟悉？

____

4. 上中文课以前，Jerry 为什么有些紧张？

____

5. Jerry 的中文老师是一个什么样的老师？

____

6. Jerry 为什么不吃午饭只喝了几口水？

____

7. 上电脑课的时候,Jerry有什么麻烦?

____

8. Jerry 的爸爸妈妈为什么感到很骄傲?

____

9. Jerry 什么课的成绩越来越差?

____

10. 如果Jerry还在别的课上画画,他的爸爸妈妈就会不让他做什么?

____

Exercise 4 Rearrange the phrases to make complete and meaningful sentences.

1.学生们 / 中文课 / 饭厅 / 刚刚上完 / 就去 / 吃饭 / 了

____

2. 已经 / 他 / 暑假 / 学会 / 期间 / 游泳 / 了

____

3. Tom / 没有钱 / 只好 / 向朋友 / 肚子 / 可是 / 下课以后 / 借钱 / 很饿 / 他 /吃饭

____

4. 她的 / 很擅长 / 每天 / 跳舞 / 练习 / 花 / 姐姐 / 很多 / 跳舞 / 时间

____

5. 外国人 / 也很喜欢 / 越来越多 / 来 / 现在 / 中国 / 中文 / 中国菜 / 吃 / 他们 / 学习 / 的

____

Exercise 5　Translate the following sentences from English to Chinese.

1. Because the weather is getting colder and colder, people wear more and more clothes.

____

2. Frank is very good at swimming. He has been learning swimming for three years.

____

3. Ben spends a lot of time playing computer games. His parents are very angry.

____

4. Rachel has no money to take the bus home. She has to walk home.

____

5. Jim is more familiar with his Chinese teacher, so he is not nervous when having Chinese class.

____

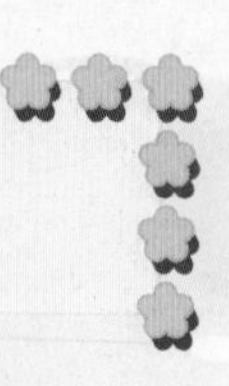

6. After eating five hamburgers, he had a stomachache.

____

Exercise 6 Use the following phrases to write your own story about your school life.

刚刚上完　暑假　越来越　下课以后　打算

擅长　毕业　比较　听不懂　只好

____

____

____

____

____

____

____

____

____

____

____

____

____

Exercise 7　Write your personal experiences about studying in an international school, using as many new words you learned as possible.

第二单元
Chapter II

在中国旅游
Travel in China

Mini-story 2.1

de xīn fáng zi
John的新房子
John's New House

Target Phrases

jiàn zhù shī 建筑师	architect
shè jì 设计	design
gài fáng zi 盖(房子)	build
kòng dì 空地	empty space
zuì 最	the most
chūn tiān 春天	spring
kāi shǐ 开始	begin
zhōu wéi 周围	all around
zhēn de 真的	really (*emphasis*)
zhàn zài tā men miàn qián 站在他们面前	stand in front of them

kuā
夸 praise

xīng fèn
兴 奋 excited

hěn yǒu miàn zi
很 有 面 子 saving face; feel proud

Personalized Mini-situation

shì yí ge jiàn zhù shī tā bú dàn xǐ huan
John 是 一 个 建 筑 师，他 不 但 喜 欢

shè jì fáng zi ér qiě yě xǐ huan zì jǐ gài fáng zi tā
设 计 房 子，而 且 也 喜 欢 自 己 盖 房 子。他

zài hé biān mǎi le yí kuài kòng dì tā yào gài quán shì jiè
在河边买了一块空地，他要盖全世界

zuì piào liang de fáng zi
最漂亮的房子。

chūn tiān dào le tā kāi shǐ gài fáng zi liù ge yuè guò
春天到了，他开始盖房子。六个月过

qu le fáng zi gài hǎo le
去了，房子盖好了。

de fáng zi kàn shang qu hěn tè bié hé zhōu wéi
John的房子看上去很特别，和周围

de fáng zi dōu bù yí yàng tā de fáng zi shì yòng mù tou
的房子都不一样。他的房子是用木头

gài de lǐ miàn yì gēn dà liáng dōu méi yǒu shì jiè gè dì
盖的，里面一根大梁都没有。世界各地

de rén dōu lái kàn tā de fáng zi dōu shuō tā de fáng zi
的人都来看他的房子，都说他的房子

zhēn de hěn piào liang zhàn zài tā men miàn qián tīng
真的很漂亮。John站在他们面前，听

zhe tā men dà shēng de kuā tā de fáng zi tā hěn xīng
着他们大声地夸他的房子，他很兴

fèn jué de hěn yǒu miàn zi
奋，觉得很有面子。

Exercise 1 Answer the following questions according to the story. (If the answer is not in the story, make one up.)

1. John 做什么工作？

____

2. John 在哪里盖房子？

____

3. John 盖房子盖了多长时间？

____

4. 为什么 John 盖的房子和周围的房子都不一样？

____

5. 谁来看他的房子？

____

6. 他们怎样夸 John 的房子？

____

7. John 为什么很兴奋？

____

Exercise 2 Fill in the blanks with the missing information.

1. 学校什么时候要________新楼?

2. 我家房子的________有许多漂亮的花。

3. John________的大楼在上海很有名。

4. 看到三十多年前的老朋友,John________很________。

Recognize the following words and phrases.

建筑师 设计 盖 一块 最 春天 周围 一根大梁

真的 兴奋

Read and write the following characters.

丿 亻 亻 们 们 但 但

但

丶 亠 ⺈ 户 户 房 房 房

房

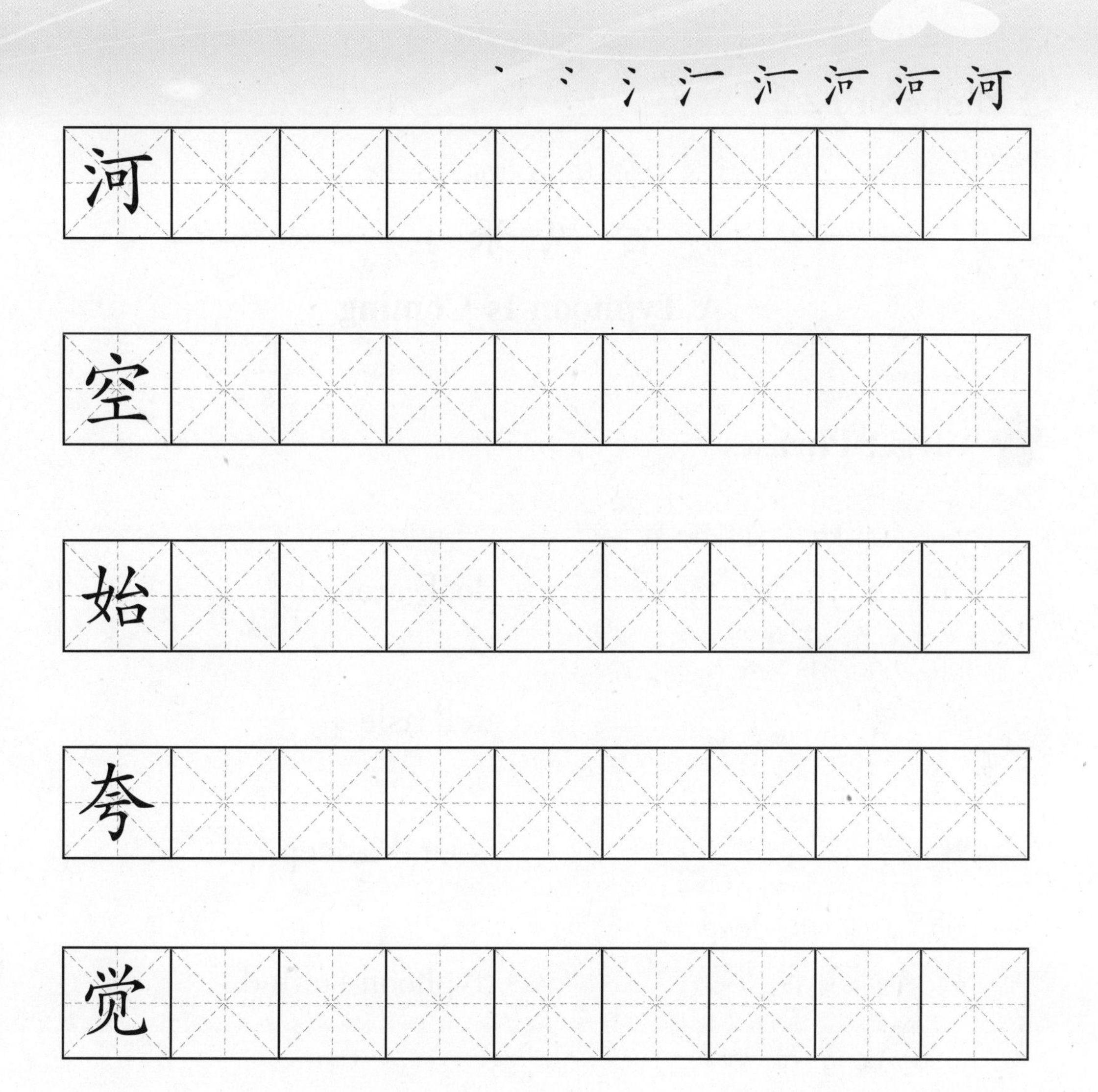
丶 丷 氵 氵 汀 沪 沪 河
河
空
始
夸
觉

Mini-story 2.2

tái fēng lái le
台风来了
A Typhoon Is Coming

Target Phrases

dōng kàn kan xī kàn kan 东看看,西看看	look around
shuì zháo le 睡着了	fell asleep
shuì de hěn xiāng 睡得很香	sound asleep
guā qǐ le tái fēng 刮起了台风	typhoon started
huàng dòng qi lai 晃动起来	begin to shake
fā chū shēng yīn 发出(声音)	produce (noise)
bèi 被	(passive voice)
chuáng dǐ xia 床底下	under the bed
bào zhe tóu 抱着头	holding one's head

bì
闭 close

duǒ
躲 hide

yán zhòng
严 重 serious

Personalized Mini-situation

bān jìn le tā zì jǐ shè jì de xīn fáng zi tā
John 搬进了他自己设计的新房子。他

zài xīn fáng zi li zǒu lái zǒu qù xīng fèn de dōng kàn kan
在新房子里走来走去，兴奋地东看看，

xī kàn kan yīn wèi bái tiān bān jiā hěn lèi suǒ yǐ wǎn shang
西看看。因为白天搬家很累，所以晚上
tā yí shuì dào xīn chuáng shang hěn kuài jiù shuì zháo le tā
他一睡到新床上很快就睡着了，他
shuì de hěn xiāng
睡得很香。

bàn yè tū rán guā qǐ le tái fēng tái fēng yuè guā yuè
半夜，突然刮起了台风，台风越刮越
dà fáng zi kāi shǐ huàng dòng qi lai tā de chuáng yě kāi
大。房子开始晃动起来，他的床也开
shǐ huàng dòng qi lai fā chū hěn dà de shēng yīn bèi
始晃动起来，发出很大的声音。John被
chǎo xǐng le tā hài pà jí le pá dào chuáng dǐ xia yòng
吵醒了。他害怕极了，爬到床底下，用
shǒu jǐn jǐn de bào zhe tóu bì zhe yǎn jing dà shēng de
手紧紧地抱着头，闭着眼睛，大声地
jiào jiù mìng jiù mìng jiù mìng zuì hòu de fáng zi
叫："救命！救命！救命！"最后，John的房子
bèi dà fēng guā dǎo le yīn wèi duǒ zài chuáng xià
被大风刮倒了。John因为躲在床下
mian suǒ yǐ méi yǒu yán zhòng shòu shāng
面，所以没有严重受伤。

hěn shāng xīn yīn wèi xiàn zài tā shén me dōu méi
John很伤心，因为现在他什么都没
yǒu le
有了。

Exercise 1 Answer the following questions according to the story. (If the answer is not in the story, make one up.)

1. 晚上，John为什么很快就睡着了？

____

2. 房子和床为什么晃动？

____

3. John的房子为什么被刮倒了？

____

4. John受伤了吗？为什么？

____

5. John什么都没有了，他怎么办？

____

Exercise 2　Translate the following sentences into Chinese.

1. The new bed is very comfortable, therefore he slept really well that night.

____

2. Taiwan（台湾）is an island. People there are afraid of typhoon.

____

3. He was walking on a small bridge when it started to shake.

____

4. Little boy held his pillow（枕头）very tight because he was afraid of the loud noise outside the house.

____

Recognize the following words and phrases.

睡得很香　刮起　越刮越大　晃动　吵醒

床底下　紧紧地　抱　救命　躲　受伤

Read and write the following characters.

丶 亠 亣 市 亩 亨 京 京 京 就 就 就

就								

丶 亠 广 疒 疖 疗 疛 夜

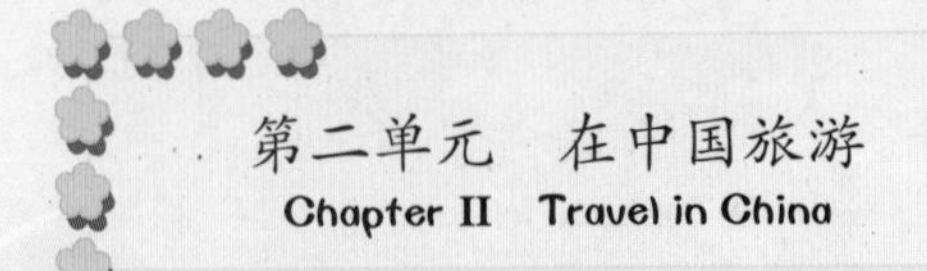

Mini-story 2.3

mài nòng zì jǐ
卖弄自己
Show Off

Target Phrases

yǐ wéi 以为	thought
mài nòng 卖弄	show off
cǎo yuán 草原	grassland
shǒu wǔ zú dǎo 手舞足蹈	describe someone busy with their arms and feet
niǔ shāng 扭伤	sprain
gē bo 胳膊	arm
lì hai 厉害	seriously; badly
shuāi le xia lai 摔了下来	fell down (from)...

Personalized Mini-situation

gāng gāng xué huì qí mǎ jiù yǐ wéi zì jǐ qí de
Terry 刚 刚 学会骑马就以为自己骑得

hěn hǎo tā xiǎng yào mài nòng yí xià
很好，他想要卖弄一下。

yí ge zhōu mò tā dài tā de nǚ péng you qù fù jìn
一个周末，他带他的女朋友去附近

de cǎo yuán qí mǎ tā yì biān qí mǎ yì biān shǒu wǔ zú
的草原骑马。他一边骑马，一边手舞足

dǎo yí bù xiǎo xīn tā cóng mǎ shang shuāi le xia lai tā
蹈。一不小心，他从马上摔了下来。他

de jiǎo niǔ shāng le　gē bo yě niǔ shāng le　tā de jiǎo téng
的脚扭伤了，胳膊也扭伤了。他的脚疼

de lì hai　tā de gē bo gèng téng　tā xiǎng kū　kě shì tā
得厉害，他的胳膊更疼。他想哭，可是他

jué de zài nǚ péng you miàn qián kū hěn méi yǒu miàn zi
觉得在女朋友面前哭很没有面子。

tā hé tā de nǚ péng you kàn kan zhōu wéi yǒu méi yǒu
他和他的女朋友看看周围有没有

rén kě yǐ bāng zhù tā men　kě shì yí ge rén yě méi yǒu
人可以帮助他们，可是一个人也没有。

tā xiǎng dǎ diàn huà zhǎo bà ba mā ma bāng máng　kě shì
他想打电话找爸爸妈妈帮忙，可是

shǒu jī méi yǒu diàn le　tā men bù zhī dào zěn me bàn
手机没有电了。他们不知道怎么办。

Exercise 1　Answer the following questions according to the story. (If the answer is not in the story, make one up.)

1. Terry学会骑马很长时间了吗？

____

2. Terry和他的女朋友去哪里骑马？

____

3. Terry为什么从马上摔了下来？

____

4. Terry哪里疼？

____

5. Terry在女朋友面前哭了吗？为什么？

____

6. Terry可以用手机给他的爸爸妈妈打电话吗？为什么？

____

7. Terry和他的女朋友怎么办？

____

Exercise 2 Fill in the blanks with the given phrases to make the sentences complete and meaningful.

手舞足蹈 认为 不能 卖弄 扭伤 走路 厉害

Amy很喜欢跳舞。她已经在舞蹈学校学了好几年跳舞了。她总是________自己跳舞跳得很好，常常在朋友面前________。一天，她正在________地说她的表演经历(performing experience)的时候，一不小心，把脚______了。她的脚疼得很________。她的朋友想扶着她慢慢地走回家，可是她的脚疼得________ ________了。她只好坐在马路旁边哭着给家人打电话，找人来接她回家。

Recognize the following words and phrases.

卖弄　周末　附近　草原　手舞足蹈　胳膊　厉害

Read and write the following characters.

一 十 艹 艹 节 节 苜 草 草

草

一 十 扌 扌 扫 扫 扭

扭

丿 亻 亻 亻 伤 伤

伤

更

该

Mini-story 2.4

méi yǒu miàn zi
没有面子
Losing Face

Target Phrases

sàn bù 散 步	go for a walk
duì miàn 对 面	the opposite side
zhèng zài 正 在	indicate present continuous tense
liáo tiān 聊 天	chat
dīng zhe kàn 盯 着……看	staring at
yí bù xiǎo xīn 一 不 小 心	carelessly
huá 滑	slip; slippery
diào 掉	fall
shēn 深	deep; dark
qí zhōng de 其 中 的	among

zǐ xì
仔细　　carefully

hěn jīng shen
很精神　　handsome; good-looking

gǎn xiè
感谢　　show gratitude to

fā shēng
发生　　happen

yǒu qù
有趣　　interesting

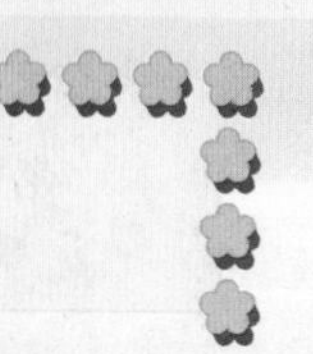

Personalized Mini-situation

xǐ huan sàn bù yì tiān tā yí ge rén zài hé
Andy 喜欢散步。一天，他一个人在河

biān sàn bù tā zǒu le yí huìr tū rán tīng dào nǚ háir
边散步。他走了一会儿，突然听到女孩儿

men de xiào shēng tā kàn kan hé duì miàn yuán lái shì hǎo
们的笑声。他看看河对面，原来是好

duō nǚ háir zhèng zài liáo tiān dīng zhe tā men kàn
多女孩儿正在聊天。Andy 盯着她们看，

yí bù xiǎo xīn jiǎo xià yì huá diào jìn le hé li hé shuǐ
一不小心，脚下一滑，掉进了河里。河水

hěn shēn yě hěn liáng bú huì yóu yǒng suǒ yǐ tā hài
很深，也很凉。John 不会游泳，所以他害

pà jí le tā dà jiào jiù mìng jiù mìng jiù mìng qí zhōng
怕极了。他大叫："救命！救命！救命！"其中

de yí ge nǚ háir tīng dào jiào shēng mǎ shàng tiào jìn hé
的一个女孩儿听到叫声，马上跳进河

li bǎ jiù le shang lai zǐ xì de kàn zhe zhè
里把 Andy 救了上来。Andy 仔细地看着这

ge nǚ háir zhè ge nǚ háir yǒu cháng cháng de shēn
个女孩儿。这个女孩儿有长长的，深

zōng sè de tóu fa dà dà de yǎn jing kàn shang qu hěn jīng
棕色的头发，大大的眼睛，看上去很精

shen hěn xiǎng hǎo hāor de gǎn xiè tā dàn shì tā
神。Andy 很想好好儿地感谢她。但是他

shén me huà yě méi yǒu shuō yīn wèi tā jué de bèi nǚ háir
什么话也没有说，因为他觉得被女孩儿

jiù le hěn méi yǒu miàn zi suǒ yǐ tā zhǐ shì qīng qīng de
救了很没有面子。所以他只是轻轻地

shuō le shēng xiè xie zài huí jiā de lù shang xiǎng
说了声："谢谢!"在回家的路上，Andy 想

zhe gāng cái fā shēng de shì jué de zhēn de hěn yǒu qù
着刚才发生的事，觉得真的很有趣。

Exercise 1 Answer the following questions according to the story. (If the answer is not in the story, make one up.)

1. 一天，Andy在散步的时候听见了什么？

____

2. Andy为什么盯着女孩儿们看？

____

3. Andy为什么掉进了河里？

____

4. 谁跳进河里去救Andy？

____

5. 这个女孩儿长得怎么样？

____

6. Andy为什么什么话也没有说？

____

7. Andy为什么觉得这件事很有趣？

____

Exercise 2　Translate the following paragraph into Chinese.

One winter morning, the road was slippery. John took his little black dog out for a walk along the river. The dog loved the cold weather and started running. Suddenly, John heard a boy calling for help. John quickly ran to the boy. The boy pointed at a little dog in the river. It was John's dog. John jumped into the river and saved his dog. John was very grateful for the boy and wanted to thank him. He looked around for the boy, but the boy was gone by then.

____

____

____

____

Recognize the following words.

散步　好多女孩儿　聊天　滑　掉　深　很精神

感谢　路　事　有趣

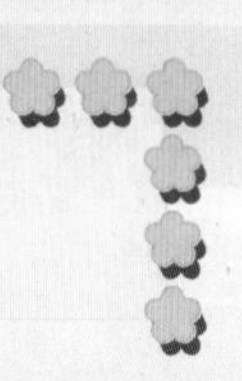

Read and write the following characters.

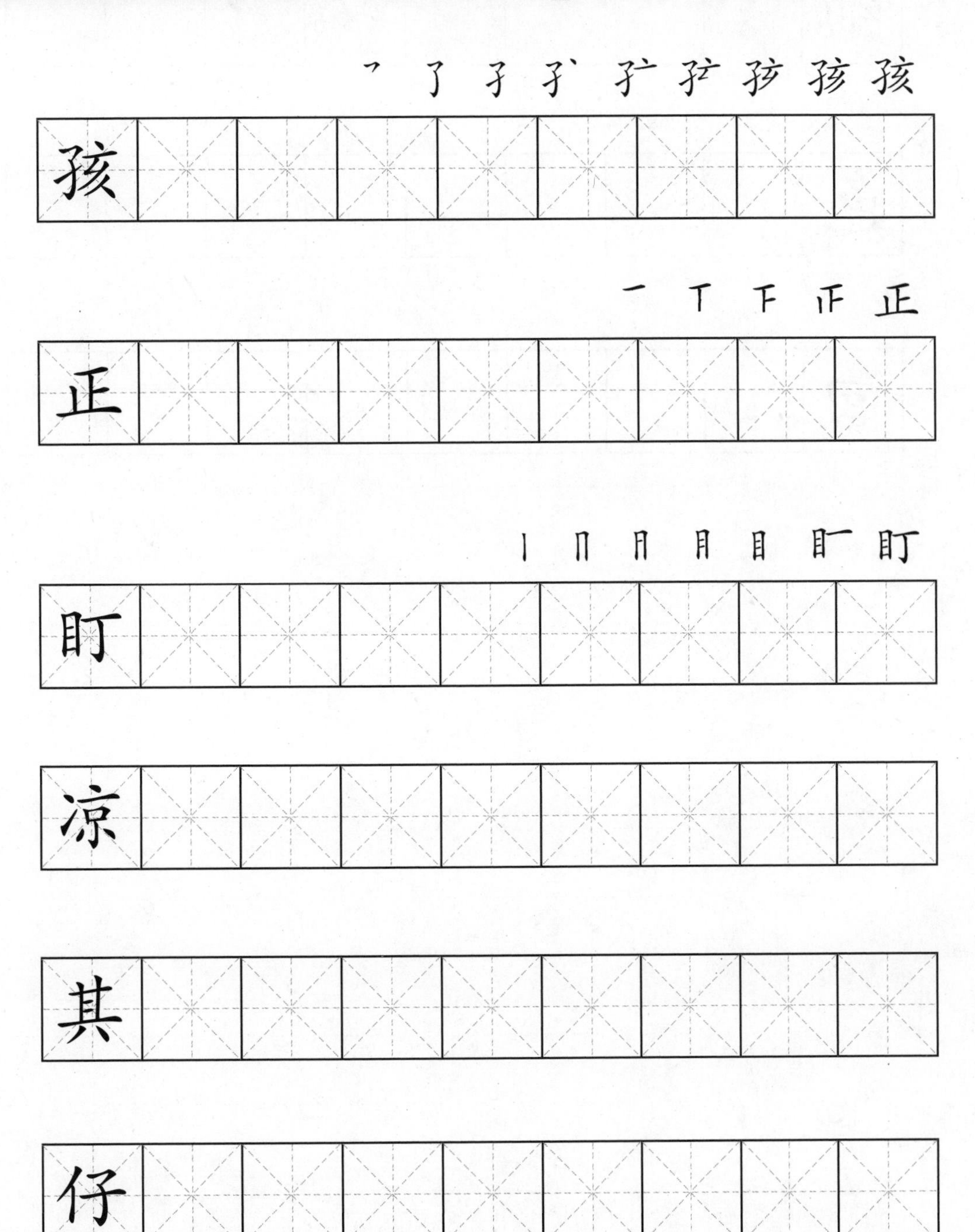

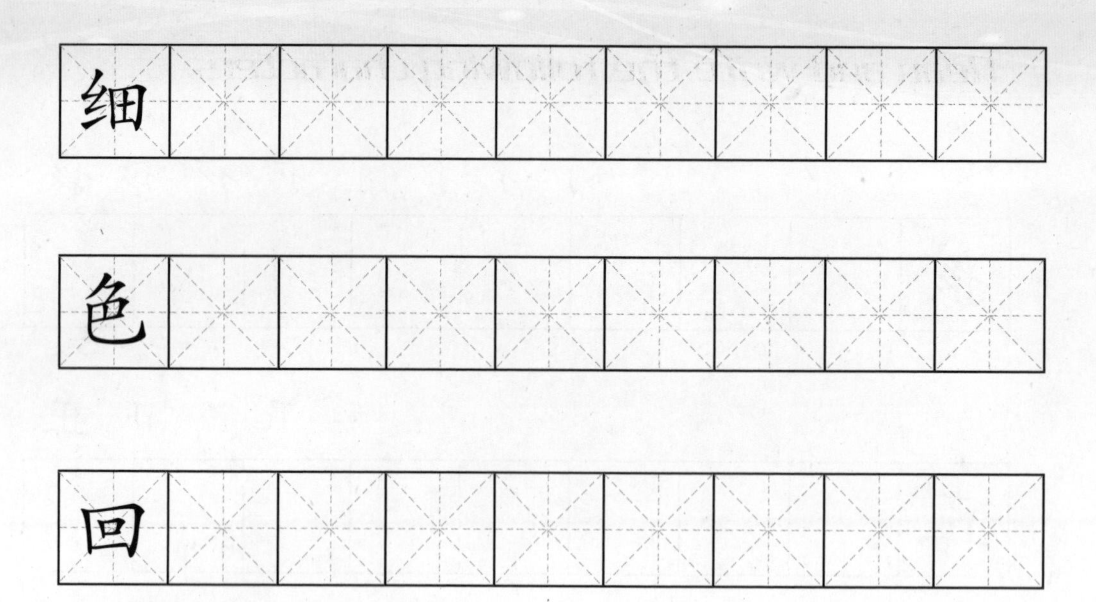
细
色
回

Chapter-story

hài pà zuò fēi jī
害怕坐飞机
Fear of Flying

Vocabulary

yī jiù 1. 一……就……	as soon as
bì 2. 闭	close
jǐn jǐn de 3. 紧紧地	tightly
fú shǒu 4. 扶手	arms of a chair/ a seat
yǒu jīng shen 5. 有精神	handsome; good-looking
huàng dòng qi lai 6. 晃动起来	start to shake
bào zhe tóu 7. 抱着头	hold one's head
dāng rán 8. 当然	of course
zhēn de 9. 真的	truly; really (*emphasis*)

hěn lì hai
10. 很厉害　very seriously; very badly

zài miàn qián
11. 在……面前　in front of

zhàng peng
12. 帐篷　tent

hǎo bu róng yì
13. 好不容易　(achieved something) with difficulty

bǎ zhàng peng dā qi lai
14. 把(帐篷)搭起来　put (the tent) up

xīng fèn
15. 兴奋　excited

liáo tiān
16. 聊天　chat

shuì de hěn xiāng
17. 睡得很香　sound asleep

hé biān
18. 河边　river side

shàng zhǎng
19. 上涨　the tide comes in

qí mǎ
20. 骑马　ride a horse

21.	yuè　　yuè 越……越……	more and more
22.	guò le yí huìr 过 了 一 会儿	after a while
23.	jiù mìng 救 命	"Help!"
24.	jiāng shéng 缰 绳	reins of (the horse)
25.	pǎo le guo lai 跑 了 过 来	ran over (here)
26.	tíng le xia lai 停 了 下 来	stopped
27.	gǎn xiè 感 谢	thankful; express gratitude
28.	fā shēng 发 生	take place; happen
29.	yǒu yì si 有 意 思	interesting
30.	shuì zháo 睡 着	asleep

A
A+
呼和浩特
1
2
3
4
5
6

害怕坐飞机

Eric 今年十四岁。他现在住在中国。他在一个中国学校上九年级。Eric是个好学生，学习成绩很好，也很擅长运动，所以同学和老师都很喜欢他。Eric有很多爱好，他最喜欢旅游，可是他最不喜欢坐飞机。其实，他害怕坐飞机。

上个月，Eric 和中国学生一起去内蒙古旅游。他们一共有二十个学生和两个老师。他们坐飞机去呼和浩特。这次坐飞机没有爸爸在身边，Eric很害怕。

一上飞机，Eric就紧张起来。他一直闭着眼睛，两手紧紧地抓着扶手。坐在Eric旁边的是一个中国女学生。她十三岁，长得不高不矮，两只大大的深棕色的眼睛，看上去很有精神。她看着Eric那紧张的样子，就对Eric说："你不舒服吗？" Eric 说："我没事。"Eric不想让别人知道他害怕坐飞机，因为他觉得这样会没有面子。

突然，飞机开始晃动起来，Eric 害怕极了，他两手抱着头，坐在椅子上，一动不动。坐在旁边的中国女生问Eric："你害怕坐飞机吗？"Eric马上把手放下，说："我不害怕，我当然不害怕了。"其实，他真的很害怕，可是他不想让那个女生知道他害怕坐飞机。这时，飞机晃动得很厉害，Eric 想吐，可是他不能吐，因为在女孩儿面前吐很没有面子。几个小时以后，他们终于到了呼和浩特。

那天晚上，学生们都要在帐篷里睡觉。Eric和三个中国男生好不容易把帐篷搭起来了。他们很兴奋，一直在帐篷里聊天，很晚才睡觉。Eric 睡得很香。半夜突然下起一场大雨，而且雨越下越大，Eric觉得很冷。他起来一看，帐篷里都是水。原来他们把帐篷搭在了河边。下雨了，河水上涨，进了他们的帐篷。Eric大叫，"不好了，帐篷进水了。"大家一听到Eric的叫声，就都醒了。帐篷里面都是水，不能睡了。他们只好在半夜搬家。

第二天，Eric和同学们去骑马。Eric 从来没有骑过马，他又兴奋又害怕。他兴奋，因为这是他第一次骑马；他害怕，因为他不知道马会不会喜欢他。老师帮Eric骑

上马,马慢慢地走了起来。Eric高兴了,因为马很听他的话,慢慢地走。

一会儿马开始跑起来,Eric还是很高兴。可是,马越跑越快。过了一会儿,Eric叫马停下来,马不停,还越跑越快。Eric害怕极了。他大叫:“救命!救命!”这时,一个女孩儿跑了过来,抓住马的缰绳,马才慢慢地停了下来。Eric 看着这个女孩儿,原来她就是飞机上那个坐在他旁边的中国女孩儿。

Eric 非常感谢中国女孩儿救了他。可是他只说了声谢谢,因为他觉得很没有面子。

那天晚上,Eric睡在床上,想起白天发生的事,觉得很有意思。明天,我们又会做什么呢?想着,想着,Eric慢慢地睡着了。

Recognize the following words.

当然　终于　帐篷　好不容易　搭起来　半夜
上涨　醒　停

Read and write the following characters.

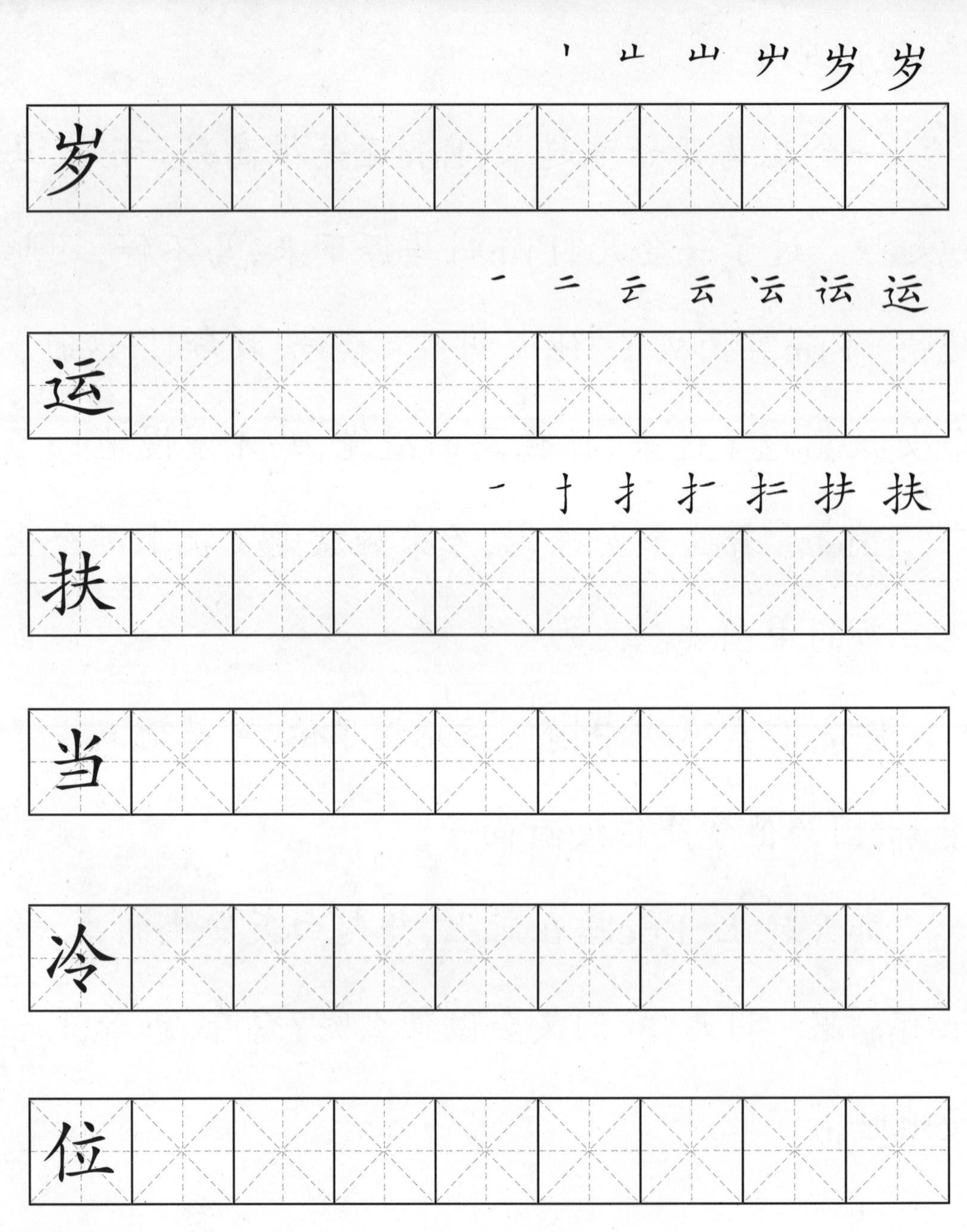

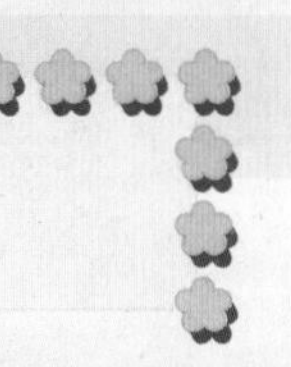

Exercise 1 Answer the following questions according to the story. (If the answer is not in the story, make one up.)

1. 为什么同学和老师都很喜欢 Eric?

2. Eric 喜欢坐飞机吗?为什么?

3. Eric 要坐飞机去哪里旅游?

4. 在飞机上,坐在 Eric 旁边的女孩儿长得怎么样?

5. Eric 为什么不想让女孩儿知道他害怕坐飞机?

6. Eric 和同学们在哪里睡觉?为什么?

7. 半夜, Eric 的帐篷里为什么都是水?

8. Eric 骑马骑得怎么样?为什么?

9. 谁救了 Eric?

10. Eric 怎样感谢救了他的人?

Exercise 2　Please fill in the blanks with appropriate phrases to make the complete and meaningful sentences.

Lisa 是一个印度女孩儿。她看起来很________。她很喜欢郊游。一个周末，Lisa 和另外几个同学去山区郊游。他们要坐一个小时的长途汽车________能到。________上汽车，Lisa________紧张起来，因为她________坐车，特别是坐车在山上的小路上绕来绕去(zigzag)。Lisa__________抱着她的书包，不说话。坐在Lisa 旁边的男生，看看Lisa，问："你不舒服吗？"Lisa说："我没事。谢谢。"Lisa不想让别人_________她很害怕，因为这样她会________。突然，长途汽车开始________，而且晃动得________。Lisa害怕极了。她害怕车子会滚(role over)到山下去。

Exercise 3　Rearrange the phrases to make complete and meaningful sentences.

1. 飞机 / 就 / Eric / 起来 / 上 / 紧张 / 一

____

2. 那位 / 害怕 / 女生 / 他 / 不想 / 坐飞机 / 知道 / 让 / 他

____

3. 好不容易 / 帐篷 / 搭起来 / Eric / 了 / 把

____

4. 非常 / 中国 / 救了 / 感谢 / 他 / Eric / 女孩儿 / 那个

____

5. 飞机 / 很厉害 / 这时 / 得 / 晃动

____

Exercise 4 Translate the following sentences into Chinese.

1. As soon as he heard this song, he started to sing loudly.

____

2. He was too tired, so he walked more and more slowly.

____

3. The school bus was coming towards us and stopped in front of the students.

____

4. Because it was the first time that he flew on a plane, he was both excited and nervous.

____

5. He told his friends that he had a car. In fact, he didn't even have a bicycle.

____

Exercise 5　Reading comprehension

叶公好龙

从前有一个人叫叶公，他非常喜欢龙。他的房间里，门上、窗上都请人刻上了龙。连他家的墙上都画了一条条又长又大的龙。他穿的衣服上也都绣上了龙。住在附近的人都知道叶公喜欢龙。天上的真龙听说以后，非常感动，要亲自下来看看叶公。真龙先来到叶公的客厅，然后来到叶公的书房。叶公一看到真龙，害怕极了。他一边大叫："救命！"一边飞快地跑了。

生词：

1. 刻　　carve
2. 墙　　wall
3. 绣　　embroider
4. 感动　　be moved
5. 亲自　　in person

Comprehension questions:

你觉得叶公真的喜欢龙吗？你怎么知道？

____

____

____

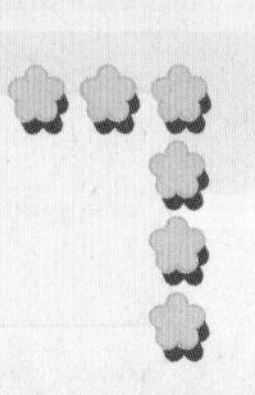

Exercise 6 Write a short essay to talk about your experiences regarding travel in China or around the world. Use as many phrases as you can from this chapter.

第三单元
Chapter III

社区服务
Community Service

Mini-story 3.1

zhù rén wéi lè
助人为乐
Take Pleasure from Helping Others

Target Phrases

yùn dòng huì 运动会	sports meet
yào qiú cān jiā 要求参加	make request to participate in
yǐ qián 以前	before
fēi kuài de 飞快地	very fast; speedy
wàng jì 忘记	forget
ào nǎo 懊恼	regret; annoyed
zhù rén wéi lè 助人为乐	take pleasure in helping others
jīng xǐ 惊喜	pleasantly surprised
jiǎng pǐn 奖品	award

wán jù xióng
玩具熊 teddy bear

gū ér yuàn
孤儿院 orphanage

Personalized Mini-situation

shì yí ge hěn rè xīn de xué sheng tā xǐ huan
Alex是一个很热心的学生，他喜欢

bāng zhù bié rén ér qiě yě hěn shàn cháng gè zhǒng gè yàng
帮助别人，而且也很擅长各种各样

de tǐ yù huó dòng
的体育活动。

yǒu yí cì xué xiào kāi yùn dòng huì yào qiú cān jiā
有一次,学校开运动会,Alex要求参加

mǐ cháng pǎo bǐ sài bǐ sài kāi shǐ yǐ qián tā yì zhí
8000米长跑比赛。比赛开始以前,他一直

zài bāng zhù bié de tóng xué yí huìr gěi tā men sòng shuǐ
在帮助别的同学。一会儿给他们送水,

yí huìr bāng tā men ná yī fu yí huìr wèi zhèng zài bǐ
一会儿帮他们拿衣服,一会儿为正在比

sài de tóng xué jiā yóu tā zài cāo chǎng shang fēi kuài de
赛的同学加油。他在操场上飞快地

pǎo lái pǎo qù máng de mǎn tóu dà hàn tā tài máng le jìng
跑来跑去,忙得满头大汗。他太忙了,竟

rán wàng jì le zì jǐ de mǐ cháng pǎo bǐ sài děng
然忘记了自己的8000米长跑比赛。等

dào tā xiǎng qi lai de shí hou bǐ sài yǐ jīng kāi shǐ le
到他想起来的时候,比赛已经开始了。

hěn ào nǎo kě shì xué xiào hái shi gěi le tā yí
Alex很懊恼,可是学校还是给了他一

ge jiǎng zhù rén wéi lè jiǎng tā gǎn dào hěn jīng xǐ jiǎng
个奖——助人为乐奖,他感到很惊喜。奖

pǐn shì yì zhī kě ài de wán jù xióng tā bǎ zhè zhī wán jù
品是一只可爱的玩具熊。他把这只玩具

xióng sòng gěi le gū ér yuàn de hái zi men
熊送给了孤儿院的孩子们。

Exercise 1 Please answer the following questions in complete sentences.

1. Alex 是一个什么样的学生?为什么?

____

2. 在学校的运动会上,Alex要参加什么比赛?

____

3. Alex 参加比赛了吗?为什么?

____

4. Alex得了什么奖?

____

5. Alex把奖品送给了谁?为什么?

____

Exercise 2 Please fill in the blanks with appropriate phrases to make complete and meaningful sentences.

懊恼 参加 忘记 助人为乐 飞快地

1. 小高不但学习很好,而且常常________。
2. 她考试不及格,很________(a feeling word)。
3. 我昨天很忙,________把书放进书包里了。

4. 下雨了，我__________跑进家里。

5. Alex天天练习跑步，因为一个月以后他要__________学校的4000米长跑比赛。

Recognize the following phrases.

热心　体育　参加　帮助　衣服　操场　竟然　忘记

懊恼　奖品　助人为乐　惊喜　玩具熊　孤儿院

Read and write the following characters.

一 寸 寸 才 才 求 求

求

丶 丷 丷 半 米 米

米

丶 丷 丷 兰 关 关 关 关 送

送

油

记

品
院

Mini-story 3.2

xīn lái de yīng wén lǎo shī
新来的英文老师
The New English Teacher

Target Phrases

jīng tōng 精通	very good at
yōu mò 幽默	humor
wú liáo 无聊	boring; bored
pā zài zhuō shang shuì jiào 趴在桌上睡觉	rest one's head on the table sleeping
rèn zhēn 认真	very serious
jiǎn dān 简单	simple
bàn fǎ 办法	ways to do things
dèng zhe 瞪着	staring at

Personalized Mini-situation

shì yí ge gāng cóng dà xué bì yè de yīng wén
David 是一个刚从大学毕业的英文

lǎo shī suī rán tā duì yīng wén tè bié shì duì yīng wén yǔ fǎ
老师。虽然他对英文,特别是对英文语法

hěn jīng tōng dàn shì tā bú tài yōu mò suǒ yǐ tā de xué
很精通,但是他不太幽默。所以他的学

sheng dōu jué de tā jiāo yīng wén jiāo de hěn wú liáo
生都觉得他教英文教得很无聊。

shàng kè de shí hou xué sheng men yǒu de dōng kàn kan
上课的时候,学生们有的东看看

xī kàn kan yǒu de qiāo qiāo de liáo tiān hái yǒu de pā zài
西看看，有的悄悄地聊天，还有的趴在

zhuō zi shang shuì jiào
桌子上睡觉。

jué de zì jǐ jiāo de hěn rèn zhēn kě shì tā de
David 觉得自己教得很认真，可是他的

xué sheng hái shi shén me dōu méi xué huì lián zuì jiǎn dān de
学生还是什么都没学会，连最简单的

fā yīn dōu fā bu hǎo tā yòu zháo jí yòu nǎo huǒ kě shì yě
发音都发不好。他又着急又恼火，可是也

méi yǒu bàn fǎ zhǐ néng shēng qì de dèng zhe tā men
没有办法，只能生气地瞪着他们。

Exercise 1 Please answer the following questions in complete sentences.

1. 谁是新来的英文老师？（describe the teacher in two or three sentences）

____

____

2. 学生们喜欢他们的英文老师吗？为什么？

____

____

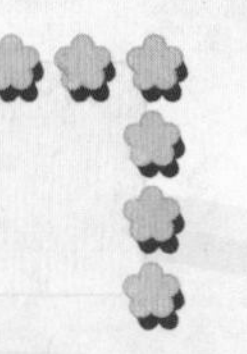

3. 学生们为什么什么都没有学会?

4. 你喜欢什么样的老师?为什么?

Exercise 2 Please translate the following sentences into Chinese.

1. I like my math teacher very much because he knows a lot of math and he is humorous, too. (精通)

2. I think watching TV at home by myself is really very boring. (无聊)

3. I feel that learning English well is very difficult, especially English pronunciation. (特别是)

4. My brother likes to watch TV with me, but if I do not have time to do that, he often stares at me with anger. (生气地瞪着)

Recognize the following phrases.

毕业　虽然　语法　精通　幽默　认真

简单　恼火　瞪

Read and write the following characters.

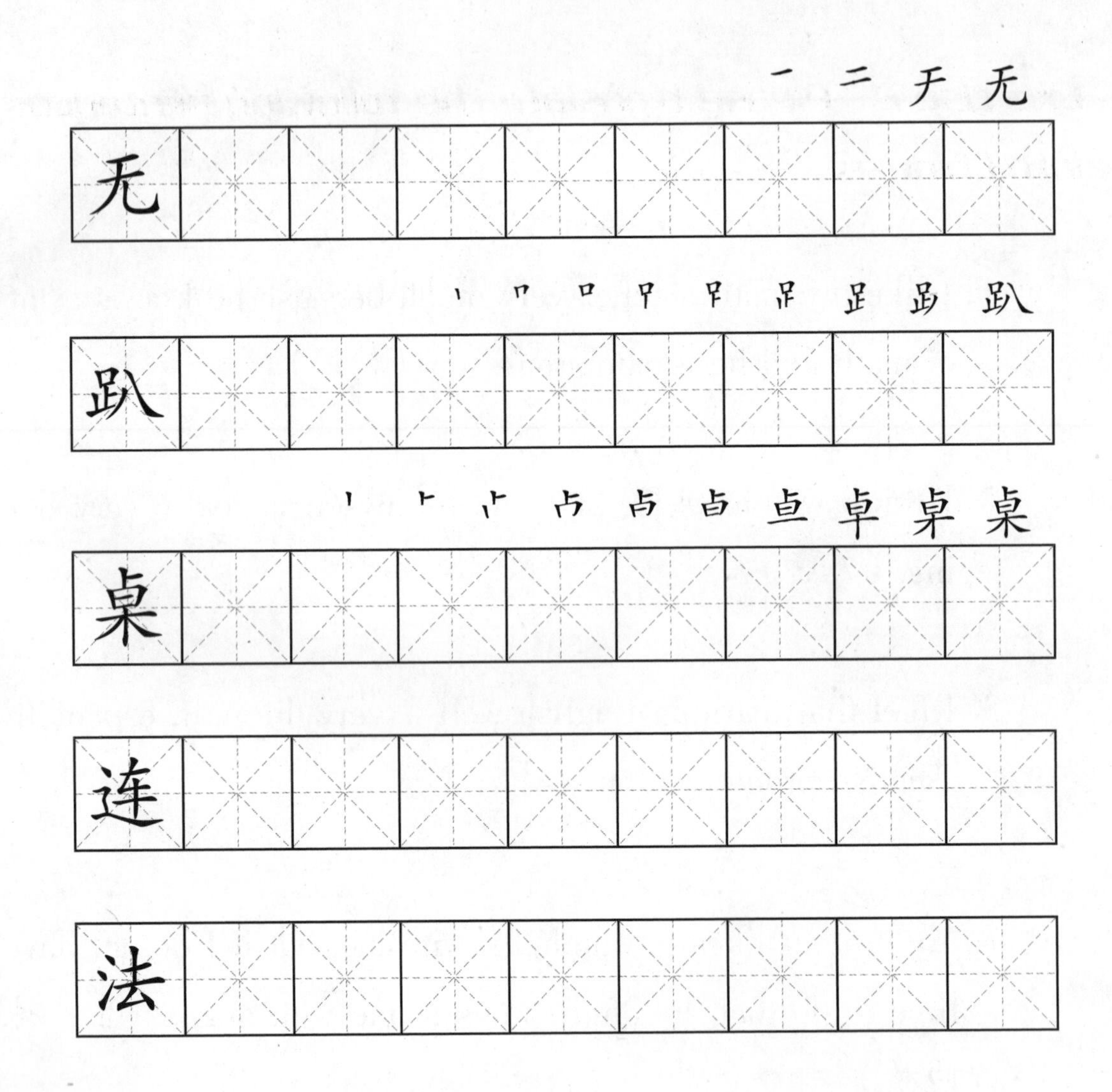

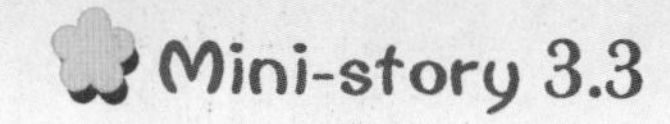

zuǒ yòu wéi nán

左 右 为 难

Don't Know What to Do

Target Phrases

qín fèn hào xué 勤 奋 好 学	study very hard; hard-working
lè yú zhù rén 乐 于 助 人	happy to help others
chú le yǐ wài hái 除 了……以 外，还	besides ...
shè qū fú wù 社 区 服 务	community service
yǎng lǎo yuàn 养 老 院	retirement home
kàn wàng 看 望	visit
fù xí 复 习	review
zuǒ yòu wéi nán 左 右 为 难	not knowing what to do

Personalized Mini-situation

shì ge gāo zhōng shēng　tā bú dàn qín fèn hào
Peter 是个高中生，他不但勤奋好

xué ér qiě lè yú zhù rén　chú le bāng zhù tā de tóng xué
学，而且乐于助人。除了帮助他的同学

yǐ wài　hái cháng cháng cān jiā shè qū fú wù huó
以外，Peter 还常常参加社区服务活

dòng　yǒu shí hou　tā qù yǎng lǎo yuàn kàn wàng lǎo rén　yǒu
动。有时候，他去养老院看望老人；有

shí hou　tā qù gū ér yuàn kàn wàng gū ér　yǒu shí hou　tā
时候，他去孤儿院看望孤儿；有时候，他

qù fù jìn de xiǎo xué bāng hái zi men fù xí gōng kè yǒu shí
去附近的小学帮孩子们复习功课;有时

hòu tā dài xiǎo qū li de hái zi yì qǐ cān jiā tǐ yù huó
候,他带小区里的孩子一起参加体育活

dòng yǒushí hou tā jiāo xiǎo péng you men zài diàn nǎo shang
动;有时候,他教小朋友们在电脑上

huà huàr
画画儿。

yuè lái yuè máng lián hé nǚ péng you yuē huì de
Peter越来越忙,连和女朋友约会的

shí jiān dōu méi yǒu nǚ péng you hěn shēng qì yào hé tā fēn
时间都没有。女朋友很生气,要和他分

shǒu zuǒ yòu wéi nán bù zhī dào gāi zěn me bàn cái
手。Peter左右为难,不知道该怎么办才

hǎo
好。

Exercise 1 Please answer the following questions in complete sentences.

1. Peter是一个怎样的高中生?

2. Peter常常参加什么社区服务?为什么?

____

____

3. Peter和他的女朋友合得来吗?(How do you know?)

____

____

4. 如果你是Peter,你会怎么做?

____

____

Exercise 2 Please fill in blanks with appropriate phrases to make complete and meaningful sentences.

Ben 今年上五年级。他学习很好,因为他__________。他还很喜欢帮助同学。老师说他是______________的好榜样(model)。Ben 常常帮四年级的小学生____________功课。他也常常带小学生参加____________活动。Ben ____________,他没有时间看电视,也没有时间和他的朋友们聊天,可是他还是很开心。

Recognize the following words.

勤奋　除了　服务　养老院　看望　复习　难

Read and write the following characters.

丶 ㇇ 礻 礻 社 社 社

社

一 ㄏ 又 区

区

一 ナ 才 右 右

右

Mini-story 3.4

xiǎng chéng wéi gē wǔ míng xīng
想 成 为歌舞明 星
Wanting to Become a Star

Target Phrases

xuǎn shǒu 选 手	selected participants
biǎo yǎn 表 演	performance; perform
xī yǐn 吸引	attract
chéng wéi 成 为	become
míng xīng 明 星	star
bào zhǐ 报 纸	newspaper
guǎng gào 广 告	advertisement
bào míng 报 名	register; sign up
yǐ hòu 以 后	afterward
liàn xí 练 习	practice

bù dé bù
不得不 have to

fàng qì
放弃 give up

Personalized Mini-situation

hěn xǐ huan kàn diàn shì shang de gē wǔ bǐ sài
Aly 很喜欢看电视上的歌舞比赛，

xuǎn shǒu men de biǎo yǎn cháng cháng xī yǐn tā chàng
选手们的表演常常吸引她。Aly 唱

gē chàng de hěn hǎo tiào wǔ yě tiào de hěn hǎo suǒ yǐ tā
歌唱得很好，跳舞也跳得很好，所以她

xiǎng chéng wéi yí ge gē wǔ míng xīng zài diàn shì shang
想成为一个歌舞明星，在电视上

biǎo yǎn
表演。

yì tiān wǎn shang tā kàn dào bào zhǐ shang de yí ge
一天晚上，她看到报纸上的一个

gē wǔ bǐ sài guǎng gào jiù mǎ shang bào míng cān jiā cóng
歌舞比赛广告，就马上报名参加。从

nà yǐ hòu tā měi tiān liàn xí chàng gē tiào wǔ zhōu mò yě
那以后，她每天练习唱歌跳舞，周末也

bù chū qu wánr
不出去玩儿。

bǐ sài nà tiān xīng fèn jí le kě shì yě jǐn zhāng
比赛那天，Aly兴奋极了，可是也紧张

jí le tū rán jué de hóu lóng téng jiǎo yě téng tā
极了。突然，Aly觉得喉咙疼，脚也疼，她

quán shēn dōu bù shū fu bù dé bù fàng qì bǐ sài tā hěn
全身都不舒服，不得不放弃比赛。她很

ào nǎo
懊恼。

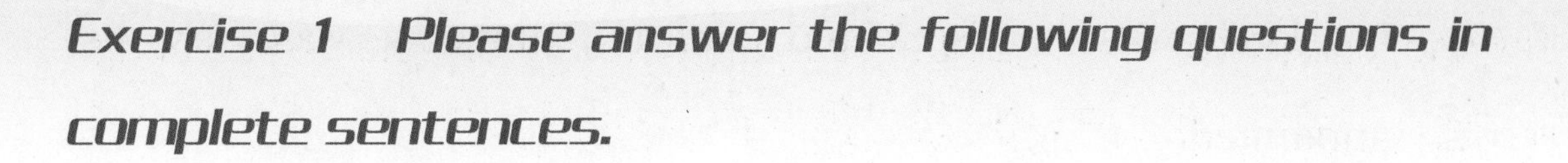

Exercise 1 Please answer the following questions in complete sentences.

1. 什么常常吸引Aly?

____

2. Aly的梦想是什么?

____

3. Aly报名参加了什么比赛?

____

4. Aly最后有没有参加比赛?为什么?

____

____

____

Exercise 2 Please translate the following sentences into Chinese.

Peter loved to play basketball. He liked to watch famous (有名的) basketball players playing on TV. He thought that someday he would play in an important (重要的) game. Everyday after school, Peter went to the playground to play basketball with his friends. He was very good now. There was a big game between his school and another international school. He was very excited about the game. The day came, but Peter was very sick and couldn't play. He was very disappointed.

Recognize the following words.

歌舞　表演　吸引　报纸　练习　喉咙

Read and write the following characters.

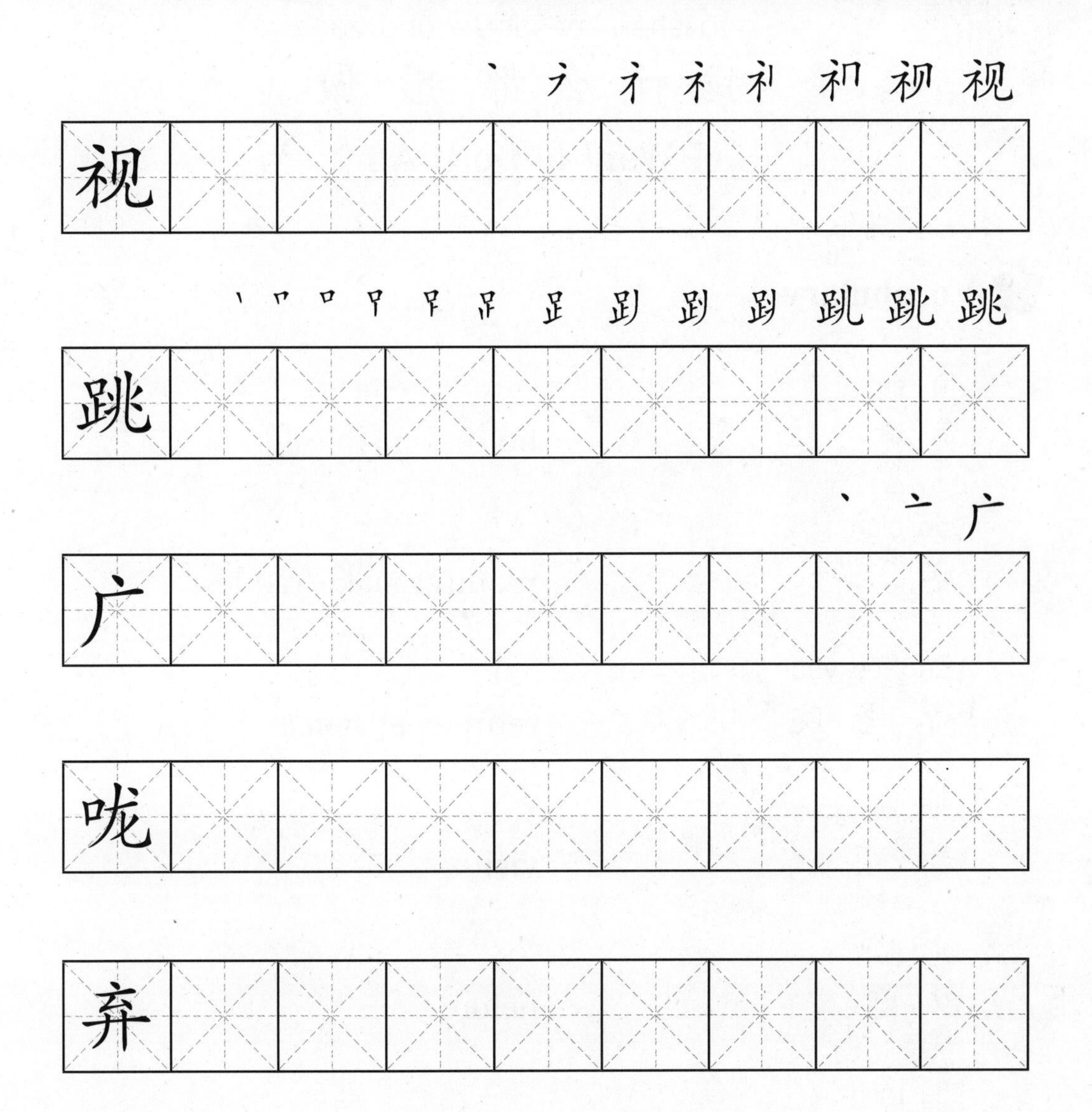

Chapter-story

wǒ shén me dōu xiǎng zuò
我什么都想做
I Want to Do It All

Vocabulary

fù zé 负责	be responsible for
yào qiú 要求	require; make request
yǎng lǎo yuàn 养老院	retirement home
kàn wàng 看望	visit
yǐ qián 以前	before
jīng tōng 精通	be good at
yōu mò 幽默	humor
yǐ hòu 以后	afterward

wàng jì 忘记	forget
méi yǒu bàn fǎ 没有办法	no way out
gěi xiě xìn （给……）写信	write a letter（to...）
gū ér yuàn 孤儿院	orphanage
bào míng 报名	register; sign up
fēi kuài de 飞快地	very fast
dèng zhe 瞪着	staring at
nài xīn de 耐心地	patiently
jiě shì 解释	explain
bèi xī yǐn zhù le 被……吸引（住了）	attracted to
ào nǎo 懊恼	regret

德语

我什么都想做

Tim在中国的一所国际学校上学，今年他上八年级。Tim的爸爸是德国人，妈妈是中国人。Tim从小就跟妈妈学中文，所以他的中文说得很好。他的德文也说得不错。Tim是个很热心的中学生，他常常帮助别人，是一个乐于助人的好学生。

Tim想要参加社区服务。他听说学校里的高中学生有各种各样的社区服务活动，就去找负责的老师，要求参加社区服务活动。老师很高兴，告诉Tim下次的活动是去养老院看望老人。

一个星期天的早上，Tim 和高中的同学们一起来到了养老院。在那里，他认识了一个老伯，老伯姓王。王老伯以前是历史老师，他不但精通历史，而且很幽默。Tim和王老伯很合得来。从那以后，Tim天天放学去养老院看望王老伯。他每天很晚回家，还常常忘记做功课。爸爸妈妈和Tim的老师都很着急，他们不让Tim再去养老院了。Tim很不高兴，可是也没有办法，只好一有空就给王老伯写信。

Tim发现高中还有另外一项社区服务活动，那就是去孤儿院看望小朋友。几天以后，负责社区服务活动的老师告诉Tim他们要去孤儿院看望小朋友，Tim马上就报名参加了。他们来到附近的一个孤儿院看望那里的小朋友。孤儿院的小朋友们没有什么玩具。他们都喜欢玩具熊，Tim想起他妹妹有很多玩具熊，放在家里也不用，就飞快地跑回家，拿了三个玩具熊送给了孤儿院的小朋友们。小朋友们高兴极了，Tim也很高兴，因为他觉得自己做了一件好事。Tim回到家里，看见妹妹生气地瞪着他。Tim很耐心地向妹妹解释，可是妹妹不听。Tim不知道怎么办。

最近Tim听说有些高中生在附近的小学教外语，这也是社区服务的一个活动。Tim又报名参加了。他来到附近的小学。因为Tim能说一口流利的德语，所以小学生们都被他吸引住了，都要跟他学德语。开始的时候，Tim说得很快，小学生们什么都听不懂。Tim只好慢慢

地说，可是小学生们还是听不懂。Tim教他们语法，他们不懂；Tim教他们发音，他们不会。Tim叫小学生跟着他说，他们不会说。Tim很懊恼，他问自己，教外语为什么那么难？

Tim是一个助人为乐的好学生，他喜欢参加社区服务活动，可是他总是碰到麻烦事。

Recognize the following words.

德国　跟　负责　写信　一项活动　妹妹　解释

Read and write the following characters.

期

伯

姓

王

Exercise 1　Please answer the following questions in complete sentences.

1. Say something about Tim.（in 3–5 complete sentences）

2. Tim会说几种语言？说得怎么样？

3. Tim是一个助人为乐的孩子吗？为什么？

4. Tim为什么要去养老院？

5. 在养老院，Tim 认识了谁？Tim喜欢他吗？为什么？

6. Tim的爸爸妈妈为什么不让他去养老院了？

7. Tim又报名参加了什么社区服务活动？

8. Tim 为孤儿院的小朋友们做什么？

9. Tim的妹妹为什么不高兴？

10. Tim 去附近的小学做什么？他做得好吗？为什么？

____

____

____

Exercise 2 Please fill in the blanks with appropriate phrases to make complete and meaningful sentences.

Bill 喜欢打篮球。他也喜欢________(teach)小朋友们打篮球。Bill每天放学回家后一定要________(practice)打篮球，因为他想有一天他可以________(participate in)学校运动会上的篮球________(game, match)。

Bill也喜欢唱歌跳舞。他唱歌________(sing very well)，跳舞也________(dance very well)。很多女同学都喜欢和他一起________(dance)。

Bill在中国上学很开心。他常常________(write letters)给他的爸爸妈妈，告诉他们，他中文________(learn very well)，已经可以和中国学生交谈(communicate)了，他被中国文化________(attract)住了。

Exercise 3 Rearrange the phrases into complete sentences.

1. 漂亮的 / 小女孩儿 / 被 / 玩具熊 / 商店里 / 这个 / 吸引住了

____

2. 他 / 社区服务 / 参加 / 做功课 / 总是 / 活动 / 忘记 / 了 / 因为 / 他 / 太多

3. 不得不 / 去医院 / 妈妈 / 发烧了 / 孩子 / 她 / 带

4. 她的老师 / 常常 / 告诉 / 他 / 她 / 写信给 / 事 / 学校 / 发生的

5. 常常 / 星期天 / 去 / 你的爷爷奶奶 / 看望 / 吗 / 你 /

Exercise 4　Please translate the follow sentences into Chinese.

1. Tyler is not a good student because he does not study hard. (勤奋学习)

2. Tyler often goes to the retirement home to visit old people. (常常)

3. Maria likes to sing and dance, and she wants to participate in a singing and dancing contest some day. (歌舞比赛)

4. Alison is a hard-working student and she loves to help others, too. (乐于助人)

____

5. My history teacher knows a lot of history, but he does not have a sense of humor, therefore students feel that his class is boring. (不太幽默)

____

6. I like to write letters to anyone, especially to my parents, because I want to tell them what I am doing at school.

(写信给)

____

7. My sister loves her teddy bears, and she has many of them. (玩具熊)

____

8. My Chinese teacher speaks so fast that even when I listen very carefully, I still do not understand. (很仔细听)

____

9. Teaching a foreign language is very difficult. (很难)

____

10. There are many community service activities at our school.

(社区服务活动)

____

Exercise 5　Reading comprehension

龟兔赛跑

一天，一只兔子碰到一只乌龟。他问乌龟："乌龟，乌龟，我们比赛跑步，好吗？"乌龟说："好吧。我们看谁先到那边山下的那棵大树那里。"兔子非常兴奋，因为他知道自己比乌龟跑得快。比赛一开始，兔子就飞快地跑起来。他回头一看，乌龟还在慢慢地爬。乌龟离兔子越来越远。

兔子觉得很得意，想：乌龟爬得真慢，我在这里睡一觉再跑。

兔子就开始在地上睡觉了。

乌龟爬得也真慢，他爬呀，爬呀，爬呀，好不容易才爬到兔子身边。他累得满头大汗，也想休息一会儿，可是他知道兔子跑得比他快，他不可以放弃。所以他还是往前爬，终于他爬到了山下。

兔子呢？他还在睡觉呢！他竟然不知道自己睡了多长时间。等到他睡醒了，跑到大树那里的时候，乌龟已经在等他了。兔子非常懊恼。

生词：

1. 得意　feel too good about oneself
2. 休息　rest

Please answer the following questions orally or in writing.

谁赢了这场比赛？它为什么会赢？

____

____

____

____

____

____

Exercise 6 Write a short essay to talk about your experiences regarding any community service activities you have participated in. Use as many phrases you have learned from this chapter as possible.

____

____

____

____

____

____

____

____

____

第四单元
Chapter IV

语言和文化
Language and Culture

Mini-story 4.1

zāo le tā men kàn shang qu dōu yí yàng
糟了，他们看上去都一样
Gosh, They Look the Same

Target Phrases

cū xīn 粗心	careless
jiē 接	pick up
kè ren 客人	guest
jiào shòu 教授	professor
hé zuò 合作	cooperate
xiàng mù 项目	project
zhuàng 壮	strong
yí dìng 一定	must
cōng cōng de 匆匆地	in a hurry

jǔ pái zi
举牌子 hold a sign

kàn shang qu hé xiān sheng zhǎng de yí yàng
看上去(和 Green 先生）长得一样 look like (Mr. Green), look the same

zhǔn bèi
准备 prepare for

dān xīn
担心 worry

Personalized Mini-situation

zài yì suǒ yī xué yuàn gōng zuò tā shì yuàn zhǎng
Zoe在一所医学院工作,她是院长

de mì shū suī rán tā gōng zuò hěn fù zé dàn shì yǒu diǎnr
的秘书。虽然她工作很负责,但是有点儿

cū xīn
粗心。

jīn tiān yuàn zhǎng pài qù jī chǎng jiē yí wèi zhòng
今天,院长派Zoe去机场接一位重

yào de kè ren zhè wèi kè ren jiào shì yí wèi
要的客人。这位客人叫 Mark Green,是一位

yī xué jiào shòu zhè cì xiān sheng lái zhōng guó shì
医学教授。这次,Green先生来中国是

yào hé yī xué yuàn hé zuò yí ge yī xué xiàng mù
要和医学院合作一个医学项目。

qù jī chǎng zhī qián yuàn zhǎng gào su xiān
去机场之前,院长告诉Zoe,Green先

sheng shì yí ge wǔ shí duō suì de měi guó rén tā zhǎng de
生是一个五十多岁的美国人。他长得

yòu gāo yòu zhuàng yǒu yí ge gāo gāo de bí zi yì shuāng
又高又壮,有一个高高的鼻子,一双

lán sè de yǎn jing hé yì tóu huī bái de tóu fa xiǎng méi
蓝色的眼睛和一头灰白的头发。Zoe想,没

wèn tí wǒ yí dìng kě yǐ jiē dào tā
问题，我一定可以接到他。

cōng cōng de gǎn dào jī chǎng fēi kuài de zǒu jìn
Zoe 匆匆地赶到机场，飞快地走进

jiē kè dà tīng jiē kè dà tīng li dōu shì rén hēi yā yā de yí
接客大厅。接客大厅里都是人，黑压压的一

piàn hěn duō rén shǒu li jǔ zhe pái zi pái zi shang xiě zhe
片。很多人手里举着牌子，牌子上写着

kè rén de xìng míng jǐ jìn rén qún hěn zǐ xì de kàn
客人的姓名。Zoe 挤进人群，很仔细地看

měi yí ge zǒu chu lai de rén fā xiàn yǒu hěn duō rén
每一个走出来的人。Zoe 发现有很多人

kàn shang qu dōu hé xiān sheng zhǎng de yí yàng
看上去都和 Green 先生长得一样。Zoe

xiǎng zāo le wǒ wèi shén me méi yǒu zhǔn bèi yí kuài pái zi
想，糟了，我为什么没有准备一块牌子

ne tā dān xīn jí le
呢？她担心极了。

Exercise 1　Please answer the following questions in complete sentences.

1. Zoe在哪里工作?她做什么工作?

____

2. 今天,院长派Zoe去干什么?

____

3. Zoe觉得她能接到这个人吗?为什么?

____

4. Describe the airport when Zoe got there.

____

5. Zoe有没有接到她要接的人?为什么?

____

6. Zoe很担心吗?为什么?

____

Exercise 2　Please fill in the blanks with appropriate phrases to make the sentences complete and meaningful.

1. Jon是个好学生,但是他有时候有点儿__________,所以考试不能常常得满分。

2. 今天下午，Susan家要来一位重要的________，所以Susan的妈妈早上________去商店买了很多菜。
3. Amy最不喜欢去机场________客人，因为，机场里常常有很多人，________。很多人________。有的人还大喊大叫。
4. 小红最近交了一个新朋友，他是来自新西兰的Mark。他们两人常常在一起争论（argue）。因为，小红认为西方男人________，Mark认为中国女人________。
5. 明天小芳有数学考试，可是今天她没有时间________功课，因为今天放学后她有篮球训练，晚上有篮球比赛。

Recognize the following words.

粗心　接　重要　客人　鼻子　蓝色　问题　一定
匆匆地　赶　举　挤　糟了　准备　担心

Read and write the following characters.

一　丆　𠂆　𠂤　至　矢　医

医								

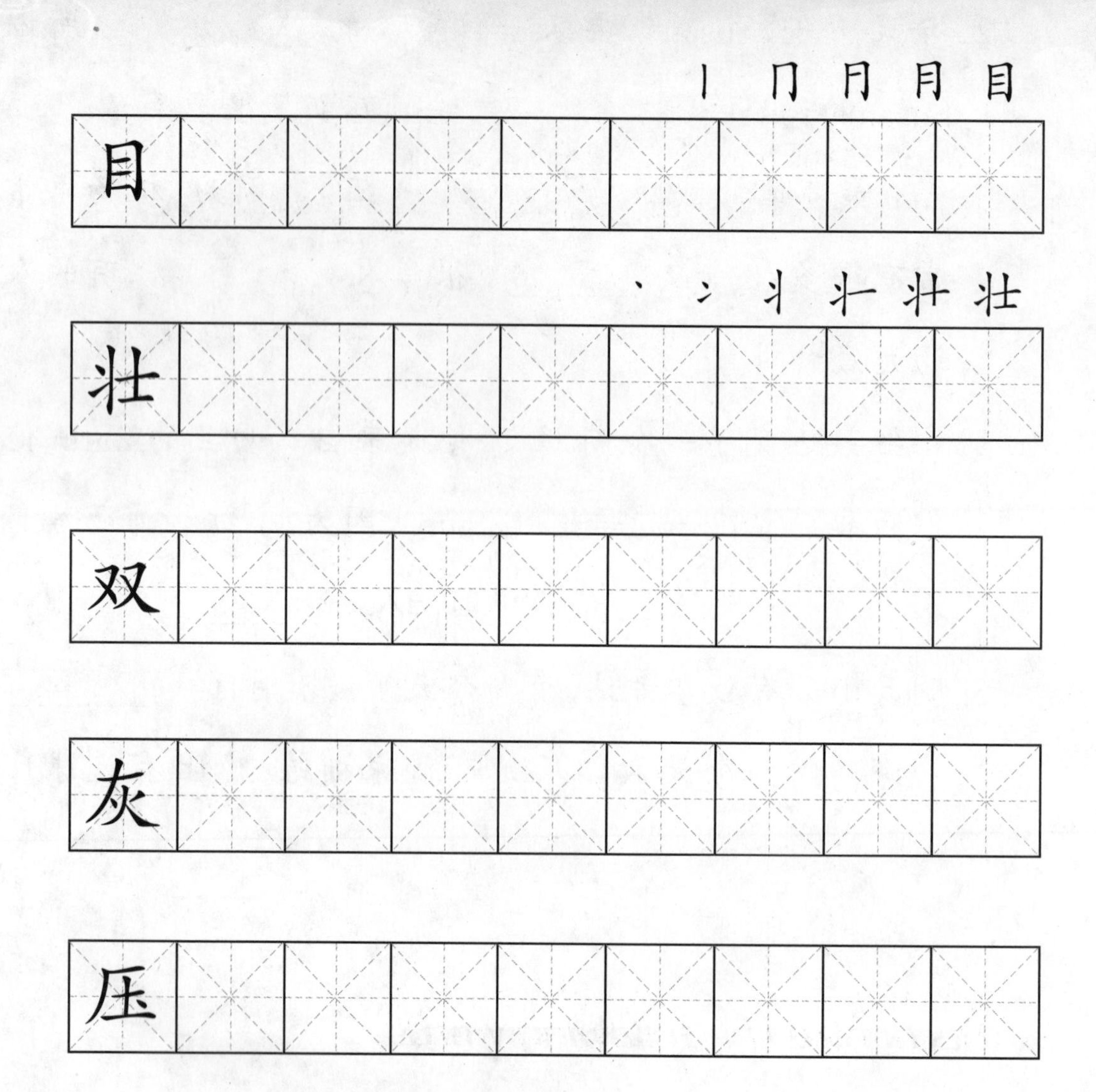
丨 冂 月 月 目
目
丶 冫 丬 丬 丬 壮
壮
双
灰
压

Mini-story 4.2

nǐ de zhōng wén shuō de zhēn hǎo

你的中文说得真好

Your Chinese Is Really Good

Target Phrases

lián máng 连 忙	promptly
cài dān 菜 单	menu
jiē jie bā bā de 结 结 巴 巴 的	halting
jiè shào 介 绍	introduce
chī jīng 吃 惊	surprise
méi xiǎng dào 没 想 到	have not thought of
zhè me liú lì 这 么(流 利)	so (fluent) (*emphasis*)
fù zhàng 付 账	pay the bill

xiǎo fèi
小 费　　tips; gratuity

yīng gāi
应 该　　should; obliged

Personalized Mini-situation

shì yì jiā fàn diàn de fú wù yuán tā zǒng shì hěn
Eva 是一家饭店的服务员，她总是很

rè xīn de wèi kè ren fú wù yì tiān zhōng wǔ fàn diàn lái
热心地为客人服务。一天中午，饭店来

le yí wèi wài guó kè ren lián máng zǒu guo qu gēn tā
了一位外国客人。Eva 连忙走过去，跟他

dǎ zhāo hu qǐng tā zuò xia rán hòu ná lai cài dān yòng
打招呼，请他坐下。然后，Eva拿来菜单，用

jiē jie bā bā de yīng wén gěi tā jiè shào zhōng guó cài
结结巴巴的英文给他介绍中国菜。Eva

gāng shuō wán wài guó kè ren jiù yòng biāo zhǔn de zhōng
刚说完，外国客人就用标准的中

wén shuō xiè xie nǐ de jiè shào qǐng gěi wǒ lái yì pán gōng
文说："谢谢你的介绍，请给我来一盘宫

bǎo jī dīng yì pán má pó dòu fu hé yì lóng xiǎo lóng bāo
保鸡丁、一盘麻婆豆腐和一笼小笼包。"

hěn chī jīng tā méi xiǎng dào yí ge wài guó ren néng
Eva很吃惊，她没想到一个外国人能

shuō zhè me liú lì de zhōng wén tā gèng méi xiǎng dào tā
说这么流利的中文。她更没想到他

duì zhōng guó cài zhè me shú xī
对中国菜这么熟悉。

chī wán fàn yǐ hòu wài guó kè ren fù le zhàng hái yào
吃完饭以后，外国客人付了账，还要

gěi xiǎo fèi kě shì zěn me yě bú yào wài guó kè
给Eva小费，可是Eva怎么也不要。外国客

rén wèn tā nǐ de fú wù zhè me hǎo wèi shén me bù ná
人问她："你的服务这么好，为什么不拿

xiǎo fèi　　　　shuō　　yīn wèi hǎo hāor　　fú wù shì wǒ men
小　费?”Eva　说：“因　为　好　好儿服务是我　们

yīng gāi zuò de
应　该　做　的!”

Exercise 1　Please answer the following questions in complete sentences.

1. Eva是一个好的服务员吗?(为什么?)

____

2. 一天,店里来了一位什么样的客人?Eva马上做什么?

____

3. 那位客人要了什么菜?

____

4. Eva为什么不要小费?

____

5. 你喜欢吃中国菜吗?如果你去一家中国饭店,你会点什么菜?

____

____

Exercise 2 Please translate the following sentences into Chinese.

1. He gives people good service. Therefore, he usually gets a lot of tips.

____

2. Mark was very surprised to see his old friend at the airport.

____

3. The old man has been studying English for several years, but he can only speak haltingly (结结巴巴地).

____

4. After dinner, my dad paid the bill, but he did not leave any tip.

____

Recognize the following words.

服务员　打招呼　菜单　结结巴巴　介绍　标准　一盘

小笼包　吃惊　流利　熟悉　付账　小费

Read and write the following characters.

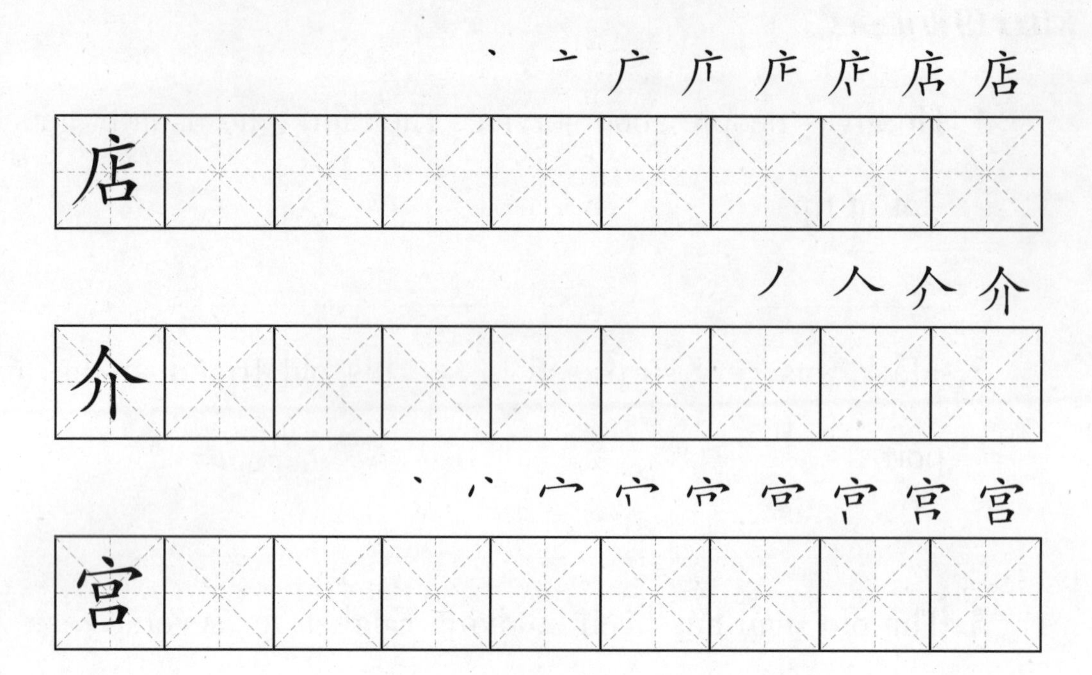

Mini-story 4.3

zhǎo fáng zi
找 房 子
Looking for a House to Rent

Target Phrases

fáng chǎn zhōng jiè gōng sī 房产中介公司	real estate agency
zhēng zhe 争着	compete for
mǎn yì 满意	satisfactory
tè sè 特色	specialty
huán jìng 环境	surrounding; environment
ān jìng 安静	quiet
yōu yǎ 优雅	graceful

Personalized Mini-situation

yì jiā gāng bān dào shàng hǎi tā men qǐng fáng
Vincent一家刚搬到上海,他们请房

chǎn zhōng jiè gōng sī bāng máng zhǎo fáng zi fáng chǎn
产中介公司帮忙找房子。房产

zhōng jiè gōng sī de gōng zuò rén yuán dōu hěn rè xīn zhēng
中介公司的工作人员都很热心,争

zhe gěi tā men jiè shào fáng zi tā men qù kàn le hěn duō
着给他们介绍房子。他们去看了很多

fáng zi kě shì dōu bù mǎn yì zuì hòu gōng zuò rén yuán
房子,可是都不满意。最后,工作人员

bāng tā men zài yì tiáo yōu jìng de mǎ lù shang zhǎo dào le
帮他们在一条幽静的马路上找到了

yí dòng hěn yǒu tè sè de lǎo fáng zi de bà ba
一栋很有特色的老房子。Vincent的爸爸

duì zhè dòng fáng zi hěn mǎn yì yīn wèi fù jìn yǒu jiā kā fēi
对这栋房子很满意,因为附近有家咖啡

guǎn tā kě yǐ tiān tiān xià bān yǐ hòu qù hē kā fēi
馆,他可以天天下班以后去喝咖啡。Vin-

de mā ma yě hěn mǎn yì yīn wèi fáng zi zhōu wéi de
cent的妈妈也很满意,因为房子周围的

huán jìng hěn hǎo yòu ān jìng yòu yōu yǎ kě shì hěn
环境很好,又安静又优雅。可是Vincent很

bù mǎn yì yīn wèi zhè li lí tā hǎo péng you de jiā tài
不满意,因为这里离他好朋友的家太

yuǎn le
远了。

Exercise 1 Please answer the following questions in complete sentences.

1. Vincent 一家为什么要找房子？

____

2. 他们要找什么样的房？

____

3. 爸爸为什么喜欢这栋房子？

____

4. 妈妈为什么也喜欢这栋房子？

____

5. Vincent为什么不喜欢这栋房子？

____

Exercise 2 Please fill in the blanks with appropriate phrases provided to make the sentences complete and meaningful.

争着　介绍　幽静　满意　热心

1. 他的同学都很________，常常互相帮助，如果谁有困难(difficulty)，他们都会________来帮助。

2. 他的学习成绩很好，他的爸爸妈妈都很________。

3. Vincent虽然刚到这个学校，但是他已经有了一些朋友。他的朋友又__________他们的朋友给他，现在Vincent有很多朋友。

4. Vincent 很喜欢________的环境，因为他喜欢看书。

Recognize the following words.

房产中介　争着　满意　幽静　咖啡　下班
环境　安静　优雅　离

Read and write the following characters.

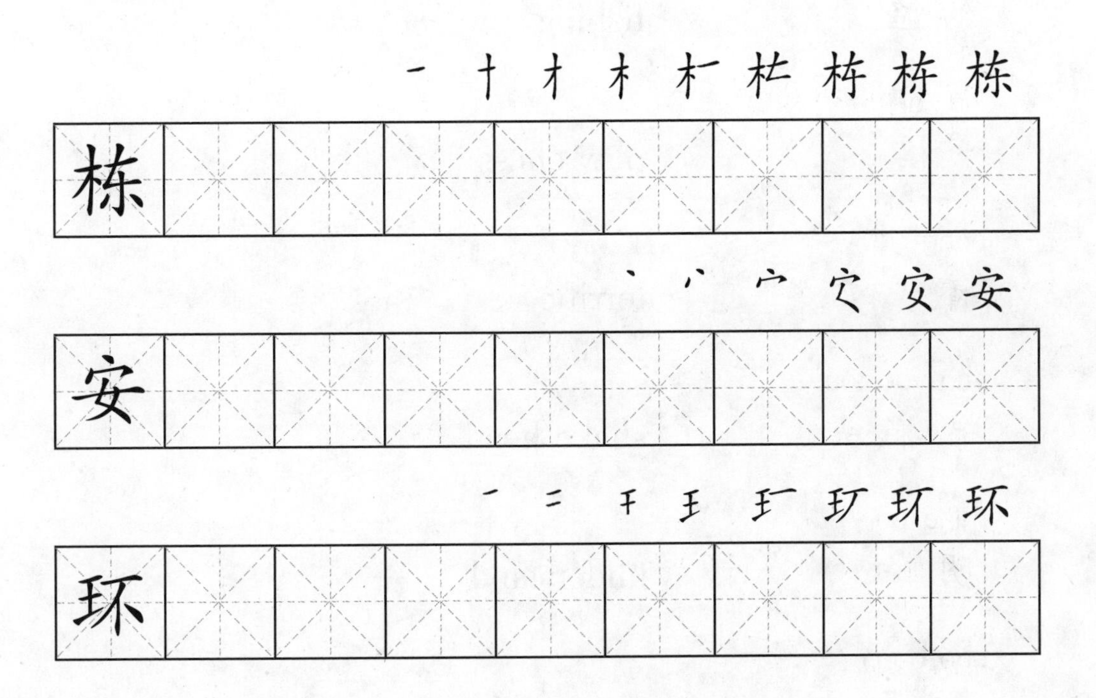

Mini-story 4.4

bù míng bai
不 明 白
Do not Understand

Target Phrases

zhōu mò 周 末	weekend
duàn liàn shēn tǐ 锻 炼(身 体)	exercise to be healthy
diào yú 钓 鱼	fishing
xià qí 下 棋	play chess
bàng 棒	terrific
yáo yao tóu 摇 摇 头	shake head
míng bai 明 白	understand
bào quán 抱 拳	hold one's own hands
xiōng 胸	chest

bǎi dòng
摆 动 shake

xìng huì
幸 会 happy to meet you

fǎn ér
反 而 on the contrary; instead

mǎ ma hū hū
马 马 虎 虎 not so good not so bad

Personalized Mini-situation

de jiā fù jìn yǒu yí ge hěn dà de gōng yuán
David 的家附近有一个很大的公园。

zhōu mò tā xǐ huan zài gōng yuán li sàn bù yí ge xīng qī
周末，他喜欢在公园里散步。一个星期
tiān de zǎo shang qù gōng yuán gōng yuán li yǒu hěn
天的早上，David去公园。公园里有很
duō lǎo rén yǒu de zài duàn liàn shēn tǐ yǒu de zài diào yú
多老人，有的在锻炼身体，有的在钓鱼，
yǒu de zài huà huàr yǒu de zài xià qí hái yǒu de zài liáo
有的在画画儿，有的在下棋，还有的在聊
tiān
天。

kàn dào yí wèi lǎo rén zài huà huàr tā zǒu dào
David看到一位老人在画画儿，他走到
nà wèi lǎo rén nà li shuō lǎo xiān sheng nín huà de zhēn
那位老人那里，说："老先生，您画得真
bàng lǎo rén yáo yao tóu shuō nǎ li nǎ li tīng
棒！"老人摇摇头，说："哪里哪里！"David听
bu míng bai tā xiǎng wèi shén me lǎo xiān sheng wèn tā de
不明白，他想：为什么老先生问他的
huàr zài nǎ li ne
画儿在哪里呢？

zǒu zhe zǒu zhe kàn dào jǐ wèi lǎo rén zài liáo
David走着走着，看到几位老人在聊
tiān zǒu shang qu shuō nǐ men hǎo wǒ jiào dà
天。David走上去，说："你们好！我叫大

wèi tā men kàn jiàn lián máng shuāng shǒu bào quán
卫。”他们看见David,连忙双手抱拳,

zài xiōng qián shàng xià bǎi dòng shuō xìng huì xìng huì
在胸前上下摆动,说:“幸会!幸会!”

bù míng bai tā xiǎng wèi shén me tā men bú wò wǒ
David不明白,他想:为什么他们不握我

de shǒu fǎn ér zì jǐ wò zì jǐ de shǒu ne
的手,反而自己握自己的手呢?

zǒu dào hé biān kàn jiàn yí wèi lǎo rén zài diào
David走到河边,看见一位老人在钓

yú wèn lǎo rén lǎo xiān sheng jīn nián duō dà nián
鱼。David问老人:“老先生今年多大年

jì le lǎo rén huí dá bā shí bā le yòu wèn lǎo
纪了?”老人回答:“八十八了。”David又问:“老

xiān sheng shēn tǐ zěn me yàng lǎo rén huí dá mǎ ma hū
先生身体怎么样?”老人回答:“马马虎

hū yòu bù míng bai le tā xiǎng mǎ ma hū hū
虎。”David又不明白了,他想:马马虎虎?

zhè shì shén me yì si
horse horse tiger tiger?这是什么意思?

Exercise 1 Please answer the following questions in complete sentences.

1. 周末,David喜欢做什么?

___

2. 一个星期天的早上,David去公园。公园里有很多人吗?他们在做什么?

___

3. 画画儿的老人说“哪里哪里”是什么意思?

___

4. 为什么老人不握 David 的手,反而握自己的手?

___

5. 钓鱼老人说他的身体马马虎虎是什么意思?

___

Exercise 2 Please translate the following passage into Chinese.

Alex likes to go to school because there is one class in which the teacher will let students do whatever they like. So some students like to play chess, some like to play computer games, some like to read books, also some like to sing and dance. It is the class that Alex likes the best.

Recognize the following words.

锻炼　钓鱼　棒　摇摇头　抱拳　胸　幸会　握手

年纪　马马虎虎

Read and write the following characters.

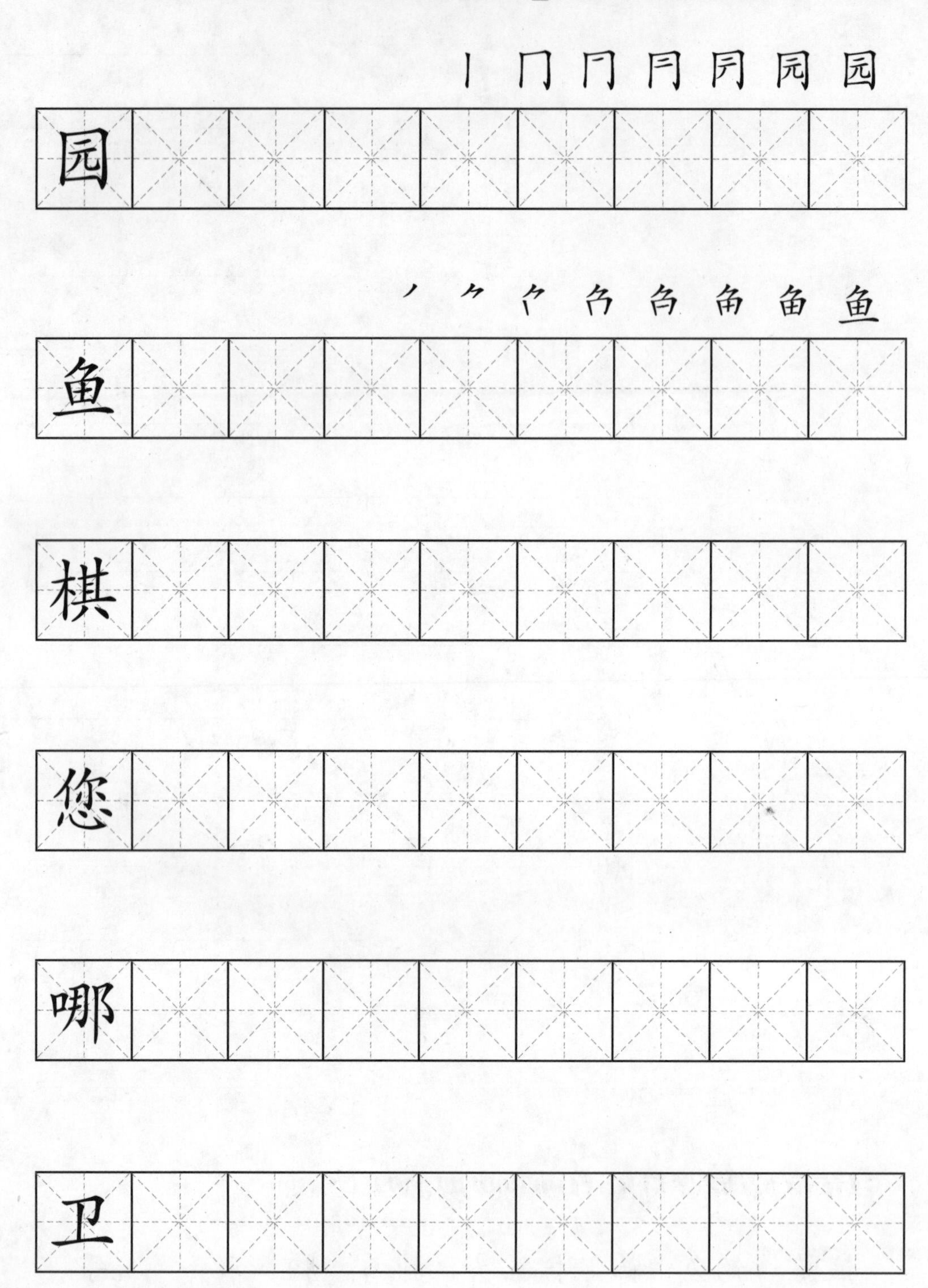

摆								

反								

而								

Chapter-story

tā men kàn shang qu dōu yí yàng

她们看上去都一样

They All Look Alike

Vocabulary

lǜ shī 1. 律师	lawyer
hé zuò 2. 合作	cooperate; cooperation
rèn zhēn 3. 认真	earnest; serious
jiē 4. 接	receive; pick someone up
dān xīn 5. 担心	worry
wàn yī 6. 万一	in case
cōng cōng de 7. 匆匆地	in a hurry
lǐng le tā de xíng li 8. 领了他的行李	picked up his luggage
jīng guò hǎi guān de jiǎn chá 9. 经过海关的检查	go through customs

jiē kè dà tīng
10. 接客大厅 arrival hall

jǔ pái zi
11. 举牌子 holding the sign

zǐ xì de
12. 仔细地 carefully

nián qīng
13. 年轻 young

chī le yì jīng
14. 吃了一惊 surprised

méi xiǎng dào
15. 没想到 never would have thought of

mǎ shàng
16. 马上 right away

zhōng guó wén huà
17. 中国文化 Chinese culture

bài fǎng
18. 拜访 visit; pay a visit

ān jìng
19. 安静 quiet

yōu yǎ
20. 优雅 graceful

fán huá
21. 繁华 busy; developed

nán dé
22. 难得 hard to come by; rare

23.	qiāo mén 敲门	knock on the door
24.	tè dì 特地	especially
25.	xiōng 胸	chest
26.	bǎi dòng 摆动	shake
27.	lián máng 连忙	promptly
28.	jiǔ yǎng 久仰	with respect
29.	wò 握	hold
30.	kè ren 客人	guest
31.	fǎn ér 反而	on the contrary; instead
32.	hé mǎ lǎo hǔ yí yàng zhuàng 和马、老虎一样壮	as strong as a horse or a tiger
33.	yú shì 于是	therefore
34.	zhàng dān 账单	bill

fù qián 35. 付钱	pay the bill
zhēng zhe 36. 争着	fighting for
xiǎo fèi 37. 小费	tips
fú wù 38. 服务	service
xiè xie guāng lín 39. 谢谢光临	thank you for coming
chū shēng 40. 出生	be born
zhǎng dà 41. 长大	grow up
yáo yao tóu 42. 摇摇头	shake one's head
zì yán zì yǔ 43. 自言自语	say something to oneself
zhēn kě xī 44. 真可惜	what a pity

上海
菜單

她们看上去都一样

马克是美国一个有名的大律师。三个月以后,他要去中国和中国律师合作一个项目。所以,他要学中文。他请了一位中文老师,教他学中文。因为马克学习很认真,所以他很快就能用中文和中国人聊天了。

三个月过去了,他要去上海见和他合作的中国律师。中国律师的秘书会去机场接他。一路上马克很兴奋,因为这是他第一次去中国。但是他也有些担心,因为他觉得自己的中文不够好,万一找不到那位秘书就糟了,而且在马克眼里,中国女孩儿看上去长得都一样。

飞机飞了十几个小时终于到了上海机场。马克匆匆地领了他的行李,经过海关的检查,很快地走进接客大厅。接客大厅里有很多人,黑压压的一片。他们都举着牌子,牌子上还写着客人的姓名。马克从来没有见过这么多人,他有些害怕,他害怕那位秘书找不到他。他一边走,一边看,他觉得举着牌子的中国女孩子看上去长得都一样。他走得很慢,而且很仔细地看那些牌子和人名,可就是没看见他的名字。接客大厅里的人越来越少了。马克越来越担心,也越来越害怕。这时候,一位年轻漂亮的女孩儿走到马克面前,很有礼貌地说:"Excuse me, are you Mr. Mark from the States?"马克吃了一惊,他没想到中国女孩儿能说这么标准的英文。马克马上回答:"Yes, I am Mr. Mark from the States."

马克在中国住了几个月了,他很喜欢中国,更喜欢中国文化。一个星期天的上午,马克先生去拜访一位老学者。这位老学者是中国有名的画家。

马克坐出租车来到老画家住的地方。老画家住在上海的一栋老房子里,房子周围又安静又优雅。马克很吃惊,想不到在繁华的上海大都市,还能找到这么一个安静优雅的地方,难得,难得。

马克轻轻地敲敲门。门开了,一位老妇人走出来,说:"您好,您找谁?"马克用很流利的中文说:"我叫马克,从美国来。今天特地来拜访画家徐老先生。"这时候,一位老先生从房间里走出来,他双手抱拳,在他的胸前上下摆动,对马克先生说:"你好。欢迎,欢迎,我就是。请进。"马克连忙说:"久仰久仰。"可是他不明白为什么老先生不握客人的手,反而握自己的手。

马克和老画家聊得很开心。马克问老画家:“先生,您的身体好吗?”老画家说:“马马虎虎。”马克先生说:“噢,很好。您的身体和马、老虎一样壮。”老画家摇摇头,可是不知道怎么解释。马克又说:“老先生,您的画儿太棒了。”老画家说:“哪里哪里。”马克觉得很奇怪,为什么老画家不知道他的画在哪里呢?

离开了老先生的家,马克来到附近的一家中国饭店。他走进饭店,在一张桌子旁边坐下。他看见一个女孩儿正在和服务员说话,可是服务员听不懂她说什么,她也听不懂服务员说的话。马克站起来,慢慢地走到女孩儿那里,用英文说:“Can I help you?”女孩儿很快回答说:“Yes, thank you for rescuing me. I wanted to order some dishes, but the waitress could not understand me and I could not understand her.”

于是,马克帮女孩儿点了菜。女孩儿请马克和她一起吃饭。他们一边吃饭一边聊天。他们很快吃完了,马克向服务员要账单。他们一共吃了三百六十九块。他拿出钱包,要付钱。女孩儿也拿出钱包,要付钱。他们两人争着要付钱,最后,还是马克付了钱。马克给服务员四百块，服务员找给马克三十一块。马克不要。服务员说："我没有找错你的钱，你为什么不要？"马克笑着说："这是你的小费，谢谢你的服务。"服务员也笑着说："我们不拿小费，好好儿服务是我们应该做的。谢谢光临，请慢走。"马克拿着钱，不知道说什么好。他爱中国这个国家，更爱中国人。

女孩儿很感谢马克先生请她吃饭，她说："Your Chinese is really good. I can only say: 你好，谢谢，再见。I am a Chinese. My parents are both Chinese."原来，这个女孩儿是中国人，她在美国出生，长大。马克摇摇头，自言自语地说："真可惜，中国女孩儿不会说中文。"

Recognize the following words.

律师　领行李　检查　礼貌　拜访　学者

出租车　敲门　谁　接待　账单　可惜

Read and write the following characters.

一 十 才 木 本 李 李

李								

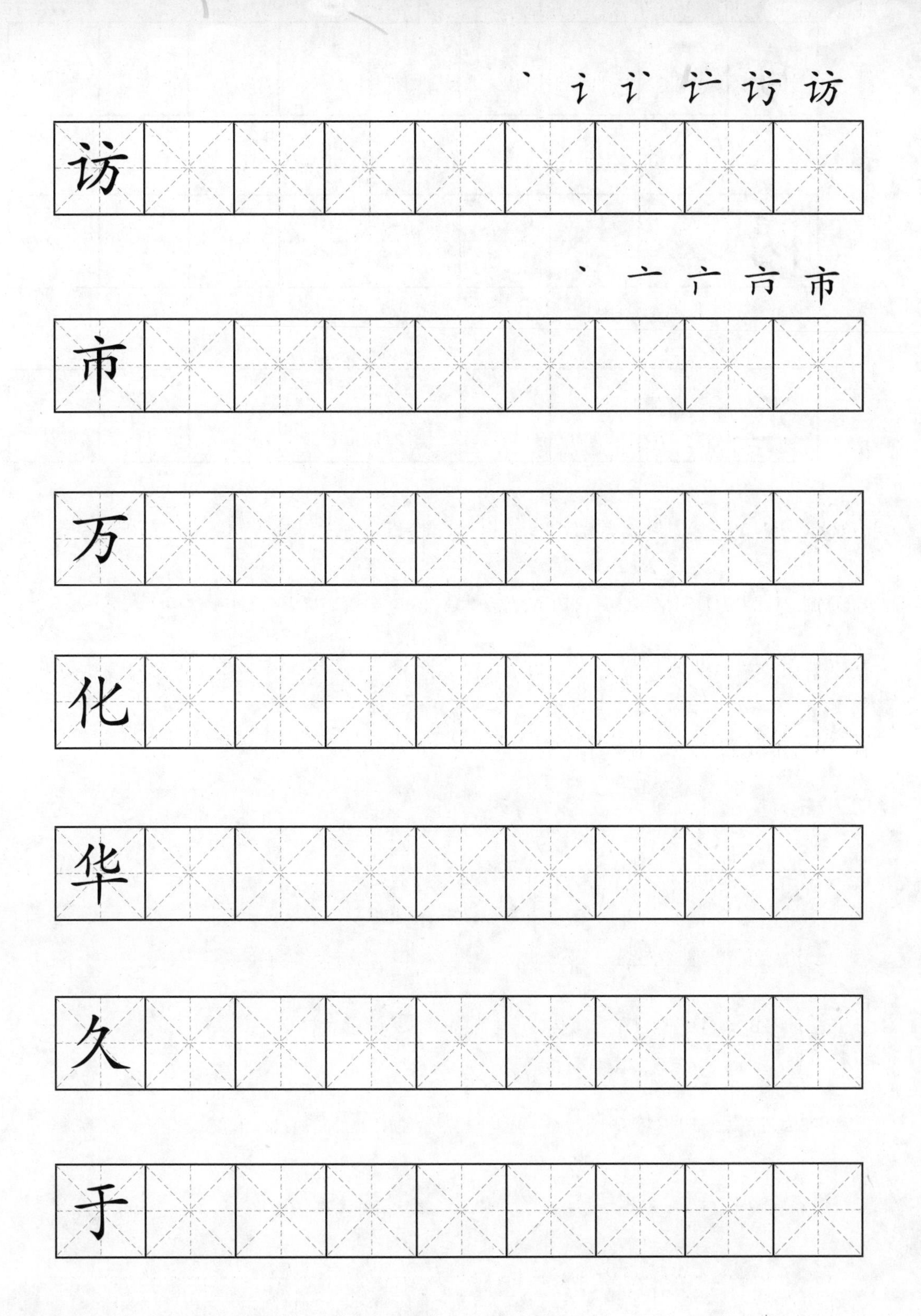
丶 讠 讠 讠 访 访
访
丶 亠 亠 市 市
市
万
化
华
久
于

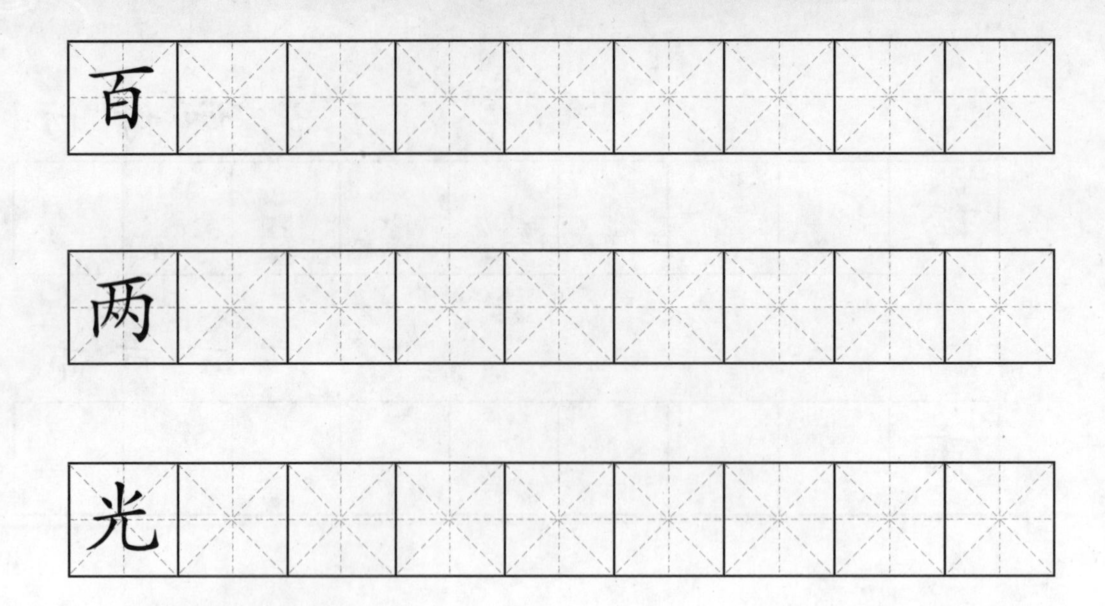
百
两
光

Exercise 1 Please answer the following questions in complete sentences.

1. 马克为什么要学中文?

2. 来中国的路上,马克担心什么?

3. 中国秘书的英文讲得怎么样?

4. 老画家的家住在哪儿?那里的环境怎么样?

5. 老先生为什么不握客人的手,反而握自己的手?

6. 在中文里“马马虎虎”是什么意思?

7. 在中文里“哪里哪里”是什么意思?

8. 马克和谁一起吃饭?为什么?

9. 马克要给服务员什么?服务员为什么不要?

10. 这个中国女孩儿为什么不会说中文?

Exercise 2 Please fill in the blanks with appropriate phrases to make the sentences complete and meaningful.

小费 接客大厅 匆匆地 幽静 认真 接 客人 都一样 环境 付钱

Zoe在一家旅行社工作。她工作很__________。一天，Zoe要去机场__________一位重要的__________。Zoe__________赶到机场，飞快地走进__________。她高高地举起写着Mr. Mark Green的牌子。Zoe发现走出来的外国人看上去长得__________。Zoe等了半个多小时，Mr.Green才出来。

中午了，Mr. Green先生和Zoe一起去吃饭。他们来到一个小饭店。这个饭店周围的__________很好，在一条__________的马路上。吃完饭，他们俩争着要__________。最后还是Mr. Green先生付了钱。他还要给服务员__________，但是服务员怎么也不要。

Exercise 3 Rearrange the phrases into complete sentences.

1. 听到 / 说 / 流利的中文 / 吃了一惊 / 美国人 / 大家 / 这个

____

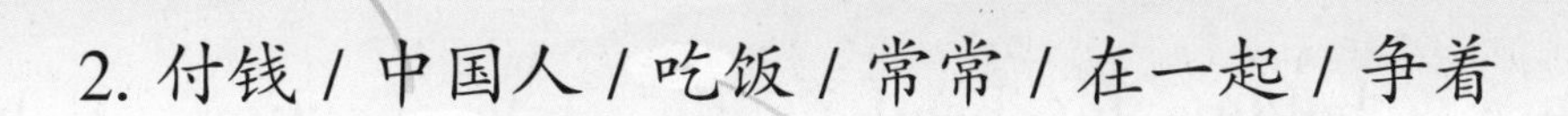
2. 付钱 / 中国人 / 吃饭 / 常常 / 在一起 / 争着

____

3. 美国朋友 / 他 / 会 / 他的 / 没想到 / 在中国 / 遇到

____

4. 不及格 / 他 / 很 / 认真 / 他 / 中文考试 / 复习 / 因为 / 担心 / 中文 / 没有

____

Exercise 4 Please translate the follow sentences into Chinese.

1. I was born in China but grew up in America.

____

2. She sang as well as a star.

____

3. Because this is the first time that he flew on a plane, he was both nervous and worried.

____

4. He was worried that he couldn't learn Chinese very well, because Chinese pronunciation and tones sound all the same.

____

5. He was holding his head tightly while shouting ‘Help! Help!’.

____

Exercise 5　Reading comprehension

猴子捞月

一群猴子在树林里玩儿。有一只小猴子跑到一口井旁边。突然，它大叫起来："糟了！糟了！月亮掉到井里去了！"原来，小猴子看到井里有个月亮。

一只大猴子听到叫声，跑到井边一看，也吃了一惊，激动地大叫起来："糟了，糟了，月亮真的掉到井里去啦！"别的猴子也都跑到井边，争着往井里看。看到井里的月亮，它们都非常着急。老猴说："我们快想办法把月亮捞上来吧！"猴子们都回答说："好的！好的！"

井旁边有一棵老树。老猴子第一个跳到树上，头往下倒挂在树上，所有的猴子都像这样一个一个排队挂在树上。小猴子最轻，挂在最下面。

小猴子把手伸到井水中，想抓月亮，可是它的手只抓到了几滴水，怎么也抓不到月亮。小猴子急得满头大汗，它不停地抓呀，抓呀，就是抓不到月亮。

猴子们也都越来越累了。这时候，老猴子抬头一看，发现月亮还在天上，它大声说："不要捞了，不要捞了，月亮还在天上呢！"

别的猴子都抬头看，月亮真的在天上呢！

树林	forest
一口井	a well
捞	catch something from the water
倒挂	hang something upside down
伸	stretch, extend
几滴水	a few drops of water
抬头	raise one's head

Please answer the following questions orally or in writing.

月亮到底在哪儿？为什么猴子们捞不到？

Exercise 6 Write a short essay to talk about your experiences regarding the differences between Chinese and Western culture or your home culture. Use as many phrases you have learned from this chapter as possible.

Index

Chapter Ⅰ

认读 character recognition

xià tiān 夏 天	summer		ǎi 矮	short
bān dào 搬 到	move to		jiù shì 就是	expressing an affirmative (indicating stress)
gōng sī 公 司	company		jīn nián 今 年	this year
nián jí 年 级	grade		gāng gāng 刚 刚	just
xǔ duō 许 多	many		jǐn zhāng 紧 张	nervous
tóng xué 同 学	classmates		ér qiě 而 且	moreover
lái zì 来 自	from		liǎo jiě 了 解	know...well
shì jiè 世 界	world		jiào shì 教 室	classroom
yǒu hǎo 友 好	friendly		dī zhe tóu 低 着 头	lower one's head
xiāng chǔ 相 处	get along with			

zhè cì
这次 this time

suǒ yǒu
所 有 all

bú dàn
不但 not only

shàn cháng
擅 长 be good at

zǎo shang
早 上 in early morning

dì yī jié kè
第一节课 the first class

fēn zhōng
分 钟 minute

fā xiàn
发现 find out; discover

yì tái diàn nǎo
一台电 脑 a computer

yuán lái
原来 originally; indicating the reason

shì
试 try

xiū
修 fix

tè bié
特别 especially; special

xiǎo shuō
小 说 novel

chéng jì
成 绩 grade

yuè lái yuè
越来越…… more and more

rú guǒ
如果 if

zài bù
再不 not ... any more

kǎo shì
考 试 test; examination

jí gé
及格 pass

zì jǐ
自己 oneself

má fan
麻 烦 trouble

qí shí
其实 actually; in fact

shǔ jià
暑 假 summer vacation

yǐ jīng
已经 already

huò zhě
或 者 or

bǐ jiào
比较 comparatively

xuǎn
选 choose; select

hēi
黑 black

yǎn jing
眼 睛 eyes

fēi cháng
非 常 very

gèng
更 more

cān tīng
餐 厅 cafeteria

mō mo
摸 摸 feel; touch

kǒu dài
口 袋 pocket

bù hǎo yì si
不好意思 embarrassed

jiè qián
借钱 borrow money

bù xíng
不 行 doesn't work; not working

gōng kè
功 课 assignment

bù néng
不 能 cannot

bǐ sài
比赛 competition

gǎn dào
感 到 feel

dǎ suàn
打 算 plan

xué yuàn
学 院 college

yào bu rán
要不然 otherwise

认写 character writing

年	家	加	公	到	校	许	美
友	所	处	这	朋	火	今	老
师	前	低	字	吗	听	又	次
坏	玩	画	节	课	才	发	台
让	用	另	忙	英	成	场	着
诉	爸	及	知	道	己	怎	办
呢	完	直	已	份	非	汗	笑
厅	饭	卡	价	业			

Chapter Ⅱ

认读 character recognition

jiàn zhù shī	建筑师	architect
shè jì	设计	design
gài	盖	build
yí kuài	一块	a block of
zuì	最	the most
chūn tiān	春天	spring
zhōu wéi	周围	all around; surrounding
yì gēn dà liáng	一根大梁	one big pillar
zhēn de	真的	really (*emphasis*)
xīng fèn	兴奋	excited
shuì de hěn xiāng	睡得很香	sound asleep
guā qǐ	刮起	start to blow (wind)
yuè guā yuè dà	越刮越大	(the wind) blows more and more heavily
huàng dòng	晃动	shake
chǎo xǐng	吵醒	make someone awake
chuáng dǐ xia	床底下	under the bed
jǐn jǐn de	紧紧地	tightly
bào	抱	hold

jiù mìng	救命	help
duǒ	躲	hide
shòu shāng	受伤	injure
mài nòng	卖弄	show off
zhōu mò	周末	weekend
fù jìn	附近	nearby
cǎo yuán	草原	grassland
shǒu wǔ zú dǎo	手舞足蹈	describe someone busy with their arms and feet
gē bo	胳膊	arm
lì hai	厉害	seriously; badly
sàn bù	散步	go for a walk
hǎo duō nǚ háir	好多女孩儿	many girls
liáo tiān	聊天	chat
huá	滑	slip; slippery
diào	掉	fall
shēn	深	deep
hěn jīng shen	很精神	handsome; good-looking
gǎnxiè	感谢	show gratitude to
lù	路	road
shì	事	things to do
yǒuqù	有趣	interesting
dāng rán	当然	of course
zhōngyú	终于	finally
zhàng peng	帐篷	tent

hǎo bù róng yì 好不容易	(achieved something) with difficulty	bàn yè 半夜	midnight
dā qi lai 搭起来	put (something) up	shàng zhǎng 上涨	the tide comes in
		xǐng 醒	wake up
		tíng 停	stop

认写 character writing

但	房	河	空	始	夸	觉	就
夜	风	动	被	极	爬	闭	倒
草	扭	伤	更	该	孩	正	盯
凉	其	仔	细	色	回	岁	运
扶	当	冷	位				

Chapter Ⅲ

认读 character recognition

rè xīn 热心	warm hearted
tǐ yù 体育	P.E
cān jiā 参加	participate
bāng zhù 帮助	help
yī fu 衣服	clothes
cāo chǎng 操场	playground
jìng rán 竟然	out of one's expectation
wàng jì 忘记	forget
ào nǎo 懊恼	regret; annoyed
jiǎng pǐn 奖品	award
zhù rén wéi lè 助人为乐	take pleasure in helping others
jīng xǐ 惊喜	pleasantly surprised
wán jù xióng 玩具熊	teddy bear
gū ér yuàn 孤儿院	orphanage
bì yè 毕业	graduate
suī rán 虽然	though; although
yǔ fǎ 语法	grammar
jīng tōng 精通	expert of something

yōu mò 幽默	humor	
rèn zhēn 认真	very serious	
jiǎn dān 简单	simple	
nǎo huǒ 恼火	irritated	
dèng 瞪	stare	
qín fèn 勤奋	diligent	
chú le 除了	besides; except	
fú wù 服务	serve; service	
yǎng lǎo yuàn 养老院	retirement home	
kàn wàng 看望	visit	
fù xí 复习	review	
nán 难	difficult; hard	
gē wǔ 歌舞	singing and dancing	
biǎo yǎn 表演	perform; performance	
xī yǐn 吸引	attract	
bào zhǐ 报纸	newspaper	
liàn xí 练习	practice	
hóu long 喉咙	throat	
dé guó 德国	Germany	
gēn 跟	follow	
fù zé 负责	be responsible for	
xiě xìn 写信	write a letter	

yí xiàng huó dòng
一项活动 an activity

mèi mei
妹妹 younger sister

jiě shì
解释 explain

认写 character writing

求	米	送	油	记	品	院	无
趴	桌	连	法	社	区	右	视
跳	广	咙	弃	期	伯	姓	王

Chapter Ⅳ

认读 character recognition

cū xīn	粗心	careless
jiē	接	pick up
zhòng yào	重要	important
kè ren	客人	guest
bí zi	鼻子	nose
lán sè	蓝色	blue
wèn tí	问题	problem
yí dìng	一定	must
cōng cōng de	匆匆地	in a hurry
gǎn	赶	hurry to
jǔ	举	hold
jǐ	挤	pushing through
zāo le	糟了	too bad
zhǔn bèi	准备	prepare for
dān xīn	担心	worried about
fú wù yuán	服务员	waiter/waitress
dǎ zhāo hu	打招呼	greet(somebody)
cài dān	菜单	menu
jiē jie bā bā	结结巴巴	haltingly
jiè shào	介绍	introduce
biāo zhǔn	标准	standard
yì pán	一盘	a plate of

xiōng	胸	chest
xìng huì	幸 会	honor to meet you
wò shǒu	握 手	shake hands
nián jì	年纪	age
mǎ ma hū hū	马 马 虎 虎	not so good not so bad
lǜ shī	律 师	lawyer
lǐng xíng li	领 行李	pick up the luggage
jiǎn chá	检 查	check
lǐ mào	礼貌	polite
bài fǎng	拜 访	visit; pay a visit
xué zhě	学 者	scholar
chū zū chē	出租车	taxi
qiāo mén	敲 门	knock on the door
shéi	谁	who
jiē dài	接 待	welcome
zhàng dān	账 单	bill
kě xī	可 惜	pity

认写 character writing

医	目	壮	双	灰	压	店	介
宫	栋	安	环	园	鱼	棋	您
哪	卫	摆	反	而	李	访	市
万	化	华	久	于	百	两	光